Barbara Robinson

Hilfe

die Herdmanns kommen

Deutsch von Nele und Paul Maar
Zeichnungen von Wilhelm Schlote

Verlag Friedrich Oetinger · Hamburg

© Barbara Robinson 1972
© Verlag Friedrich Oetinger, Hamburg 1974
Alle Rechte der deutschsprachigen Ausgabe vorbehalten
Die amerikanische Originalausgabe erschien bei
Harper & Row, Publishers, Inc., New York,
unter dem Titel „The Best Christmas Pageant Ever"
Einband und Illustrationen von Wilhelm Schlote
Gesamtherstellung: Clausen & Bosse, Leck
Printed in Germany 1989

ISBN 3-7891-1989-X

1

Die Herdmann-Kinder waren die schlimmsten Kinder aller Zeiten. Sie logen und klauten, rauchten Zigarren (sogar die Mädchen) und erzählten schmutzige Witze. Sie schlugen kleine Kinder, fluchten auf ihre Lehrer, mißbrauchten den Namen des Herrn und setzten den alten, verfallenen Geräteschuppen von Fred Schuhmacher in Brand.

Das Gerätehaus brannte nieder bis auf den Grund, und ich glaube, das überraschte die Herdmanns. Sie setzten ständig irgend etwas in Brand, aber es war das erste Mal, daß sie es schafften, ein ganzes Gebäude niederzubrennen.

Ich schätze, es war ein Unfall. Ich glaube nicht, daß sie an jenem Morgen, nachdem sie aufgewacht waren, zueinander sagten: „Los, wir gehen und zünden Fred Schuhmachers Schuppen an!"

Oder vielleicht doch? Schließlich war Samstag und nicht viel los.

Es war ein ungeheures Feuer – mit zwei Feuerspritzen, zwei Polizeiautos, der ganzen Freiwilligen Feuerwehr und fünf Dutzend Pfannkuchen, gestiftet von der Imbißstube an der Ecke. Die Pfannkuchen waren für die Feuerwehrmänner bestimmt, aber bis die das Feuer gelöscht hatten, waren die Pfannkuchen weg. Die Herdmanns hatten sie erwischt, und was sie nicht essen konnten, stopften sie sich in die Taschen und vorn in ihren Hemdausschnitt. Man konnte die Pfannkuchen richtig sehen, rundherum um Olli Herdmanns Gürtellinie.

Ich konnte nicht verstehen, warum die Herdmanns am Ort ihres Verbrechens blieben. Jeder wußte, daß es ihre Schuld war. Da hätte man doch annehmen können, daß sie schlau genug wären abzuhauen.

Ein Feuerwehrmann packte sogar Klaus Herdmann am Kragen und fragte: „Habt ihr das Feuer gelegt beim Zigarrenrauchen im Schuppen?"

Aber Klaus sagte nur: „Wir haben keine Zigarren geraucht!"

Und das hatten sie auch nicht. Sie hatten mit Leopold Herdmanns Chemiekasten, Marke „Einstein Junior", gespielt, den er im Kaufhaus geklaut hatte. Und so war der Brand entstanden:

„Wir mischten alle Pülverchen zusammen", berichtete Leopold, „schütteten Feuerzeugbenzin darüber und zündeten es an. Wir wollten sehen, ob der Chemiekasten etwas taugt."

Jedes andere Kind – sogar ein schlimmes – hätte einen Anflug von schlechtem Gewissen gehabt, wenn es etwas für 4 Dollar 95 gestohlen und dann ein Haus damit niedergebrannt hätte. Aber Leopold war nur wütend, daß der Chemiekasten mit allem Drum und Dran verbrannt war, bevor er Gelegenheit hatte, eine oder zwei Bomben damit zu basteln. ᐧ

Der Feuerwehrhauptmann rief uns alle zusammen – es standen 15 bis 20 Kinder herum und betrachteten das Feuer – und hielt uns einen kleinen Vortrag über das Spielen mit Streichhölzern, Benzin und anderen gefährlichen Sachen.

„Ich behaupte nicht, daß so etwas hier passiert ist", sagte er zu uns. „Ich weiß nicht, was hier passiert ist, aber so könnte es gewesen sein. Und ihr seht ja das Ergebnis. Also laßt euch das eine Lehre sein, Jungen und Mädchen!"

Für die Herdmanns war es ganz sicher eine Lehre: Sie lernten daraus, daß es bei einem anständigen Feuer früher oder später umsonst Pfannkuchen gab.

Ich nehme an, die Sache wäre etwas anders verlaufen, wenn sie, sagen wir, die Heilig-Geist-Kirche statt des Schuppens niedergebrannt hätten. Der war sowieso schon abbruchreif, und alle Nachbarn hatten Herrn Schuhmacher ständig die Hölle heiß gemacht, weil der Schuppen so häßlich aussah und sicherlich Ratten anlockte. So sagten alle, das Feuer wäre ein Glück im Unglück gewesen, und sogar Herr Schuhmacher war erleichtert. Mein Vater sagte, es sei die einzige gute Tat, die die Herdmanns jemals vollbracht hatten, und wenn sie gewußt hätten, daß es eine gute Tat war, hätten sie bestimmt etwas anderes angezündet – oder jemand anderen.

Sie waren wirklich so rundherum schrecklich, daß man kaum glauben konnte, daß es sie wirklich gab: Ralf, Eugenia, Leopold, Klaus, Olli und Hedwig – sechs magere, dünnhaarige Kinder, die sich nur dadurch voneinander unterschieden, daß sie verschieden groß waren und an verschiedenen Stellen blaue Flekken aufwiesen, die sie sich gegenseitig beigebracht hatten.

Sie wohnten über einer Garage im Westend. Die Garage wurde nicht mehr benutzt, nur die Herdmanns benutzten sie dazu, die Tür, so schnell sie konnten, aufund zuzudonnern, wobei sie versuchten, sich gegenseitig einzuquetschen. Das war das, was sie unter Spielen verstanden. Wo andere Leute Rasen in ihrem Vorgarten hatten, lagen bei den Herdmanns Felsbrocken, und wo andere Leute Hortensienbüsche pflanzten, züchteten die Herdmanns Tollkirschen.

Es gab auch ein Schild im Hof mit der Aufschrift: „Vorsicht, bissige Katze!"

8

Kinder, die neu in der Gegend waren, lachten nur so lange über das Schild, bis sie die Katze zu Gesicht bekamen. Ich habe noch nie ein Tier gesehen, das so bösartig aussah. Die Katze hatte ein kurzes Bein, einen gebrochenen Schwanz und nur ein Auge. Sie war der Grund, warum der Briefträger sich weigerte, den Herdmanns Post zu bringen.

„Meiner Meinung nach ist das überhaupt keine richtige Katze", sagte der Briefträger zu meinem Vater. „Ich glaube, die Kinder haben sich oben in den Bergen einen Luchs gefangen."

„Ich glaube nicht, daß man einen wilden Luchs zähmen kann", sagte mein Vater.

„Ich bin sogar sicher, daß man es nicht kann", sagte der Briefträger. „Sie haben auch niemals versucht, ihn zu zähmen. Sie haben höchstens versucht, ihn noch wilder zu machen."

Wenn sie das beabsichtigt hatten, war es ihnen gelungen. Die Katze griff alles an, was sie mit ihrem einen Auge sehen konnte.

Einmal fegte Klaus Herdmann die ganze erste Klasse in drei Minuten leer, als er die Katze als Anschauungsmaterial in den Biologieunterricht mitbrachte. Er hatte sie zwei Tage lang nicht gefüttert, so daß sie besonders wild war. Dann brachte er sie in einem Karton mit in die Schule, und als er den Karton öffnete, schoß die Katze heraus – senkrecht in die Luft. Sie landete oben auf der Tafel und brachte ihr auf dem Weg nach unten vier tiefe, lange Schrammen bei. Dann raste sie wild durch die Gegend, kratzte die kleinen Kinder, hinterließ überall Katzenhaare und zerfetzte Bücher und Papier.

Die Lehrerin, Fräulein Brendel, schrie den Kindern zu, sie sollten in den Schulhof rennen. Sie zog sich einen Mantel über den Kopf, nahm einen Besen und versuchte, die Katze in die Ecke zu treiben. Natürlich konnte sie mit dem Mantel über dem Kopf nichts sehen.

Also rannte sie nur den Mittelgang auf und ab und rief dabei: „Komm, Mieze!" und schlug jedesmal mit dem Besen zu, wenn die Katze fauchte. Sie zerschlug dabei eine Krippe mit der Heiligen Familie, einen Leuchtglobus und ein Aquarium mit 90 Liter Wasser und ungefähr 65 Goldfischen.

Dabei schrie sie die ganze Zeit, Klaus solle kommen und seine Katze fangen. Aber Klaus war mit dem Rest der Klasse in den Schulhof gegangen.

Später, als Fräulein Brendel alle, die etwas Blut vorweisen konnten, mit Heftpflaster verarztete, fragte sie Klaus, warum er um alles in der Welt nicht gekommen sei, um seine Katze einzufangen.

„Sie haben doch gesagt, wir sollen auf den Hof!"

sagte Klaus. Geradeso, als wäre er ein ganz normaler
Erstkläßler, der immer nur das tut, was ihm die Lehrer sagen.

Die Katze beruhigte sich ein wenig, als sie etwas zu
fressen fand – sie fraß fast alle Goldfische und die
beiden zahmen Mäuse, die Ramona Bindinger mitge-
bracht hatte. Ramona heulte so anhaltend („Ich kann
sie nicht einmal begraben", schluchzte sie), daß man
sie nach Hause schicken mußte.

Das Klassenzimmer war in einem schrecklichen Zustand, überall zerbrochenes Glas, Papierfetzen und
Bücher, Wasserpfützen und tote Goldfische; Fräulein
Brendel war auch in einem schrecklichen Zustand, und
die meisten Erstkläßler waren hysterisch. Man gab
ihnen für den Rest des Tages frei.

Klaus nahm die Katze wieder mit nach Hause, und
von da an galt die Regel, daß niemand mehr etwas
Lebendiges als Anschauungsmaterial in den Unter-
richt mitbringen durfte.

Die Herdmanns wanderten von Klasse zu Klasse
durch die Woodrow-Wilson-Schule, von einem Lehrer
zum andern. Aber nie blieb einer von ihnen sitzen.

Am Ende der ersten Klasse konnte Klaus Herdmann
weder das Abc noch die Zahlen, er kannte keine Far-
ben und konnte ein Viereck nicht von einem Kreis
unterscheiden, er hatte weder gelernt, „Hänschen

klein" zu singen, noch mit anderen Kindern auszukommen.

Aber Fräulein Brendel versetzte ihn trotzdem in die zweite Klasse:

Denn eines wußte sie: Im nächsten Jahr würde sie Olli Herdmann in der Klasse haben. Das war eben die Sache mit den Herdmanns: Es kam immer einer nach. Und kein Lehrer war so verrückt, sich mit zweien von ihnen auf einmal einzulassen.

Ich war immer in einer Klasse mit Eugenia Herdmann und bin ihr möglichst aus dem Weg gegangen. Es war nicht leicht, ihr aus dem Weg zu gehen. Schon gar nicht, wenn man besonders hübsch oder besonders häßlich, besonders gescheit oder besonders dumm war oder wenn man überhaupt etwas Besonderes an sich hatte, rote Haare zum Beispiel oder einen Daumen mit zwei Gelenken.

Aber ein Durchschnittskind wie ich, das schön den Mund hielt, wenn der Lehrer fragte: „Wer kann alle fünfzig Staaten von Amerika aufzählen?", hatte ganz gute Aussichten, von Eugenia verschont zu bleiben.

Eugenia war genau wie alle anderen Herdmanns. Sie wußte nie etwas, es sei denn schmutzige Witze oder die Geheimnisse von anderen Leuten.

Zweimal im Jahr mußten wir in den Sanitätsraum zum Wiegen und Messen, und Eugenia brachte es jedesmal fertig, herauszubekommen, was jeder wog. Manchmal lungerte sie herum und wartete auf Fräulein Hampel, die Krankenschwester, um sich von ihr ein Pflaster geben zu lassen, manchmal versteckte sie sich in einer tiefen Vorhangfalte, blieb dort die ganze Zeit über und schielte mit einem Auge auf die Gewichtsskala.

„Warum bist du immer noch hier, Eugenia?" fragte einmal Fräulein Hampel. „Du kannst zurück ins Klassenzimmer."

„Ich dachte, es wäre vielleicht gut, wenn Sie mal nachschauten, ob ich auch das kriege, was Olli hat."

„Was hat Olli denn?"

Eugenia zuckte die Achseln. „Wir wissen es nicht. Überall rote Flecken."

Fräulein Hampel schaute sie an. „Was hat denn der Doktor gesagt?"

„Wir haben keinen Doktor." Eugenia begann sich den Rücken am Medizinschrank zu scheuern.

„Hat Olli denn Fieber? Ist er im Bett?"

„Nein, in der ersten Klasse."

„Jetzt, im Moment?" Fräulein Hampel erstarrte. „Mein Gott, mit roten Flecken sollte er nicht in die Schule gehen. Es könnte Masern sein, Scharlach oder eine andere ansteckende Krankheit. Was machst du denn da?"

„Ich kratze mir den Rücken", sagte Eugenia. „Mann, juckt's mich!"

„Die anderen Jungen und Mädchen gehen zurück ins Klassenzimmer!" sagte Fräulein Hampel. „Und du, Eugenia, bleibst hier."

Also gingen wir alle zurück in unser Klassenzimmer, Fräulein Hampel lief in die erste Klasse, um nach Olli zu schauen, und Eugenia blieb im Sanitätsraum und schrieb von Fräulein Hampels Unterlagen ab, was die anderen wogen.

Aus dem Gewicht wurde ein genauso großes Geheimnis gemacht wie aus den Noten für die Zeugnislisten.

„Es geht niemanden etwas an, was für Noten in den Zeugnislisten stehen", sagten alle Lehrer. Und Fräulein Hampel sagte: „Es geht niemanden etwas an, was ihr wiegt."

Nicht einmal die ganz dicken Kinder konnten herausbekommen, was sie wogen, nur Eugenia wußte es immer.

„Laßt Albert Pfeifer nicht auf die Schaukel", schrie sie in der Pause, „sonst kracht sie runter. Albert Pfeifer wiegt 143 Pfund, letztes Mal wog er 137."

Also wußte jeder zwei Dinge von Albert Pfeifer: Wir wußten genau, wie dick er war, und wir wußten, daß er immer noch dicker wurde.

„Du mußt diesen Sommer ins Abmagerungs-Heim",

schrie Eugenia ihm zu. „Fräulein Hampel hat es auf deine Karteikarte geschrieben."

Das Abmagerungs-Heim ist ein Ort, wo man einen Monat lang nur Pampelmusen, Gemüse, Hüttenkäse und Eier vorgesetzt bekommt und wo man entweder mogelt oder abgemagert herauskommt.

„Ich nicht!" sagte Albert. „Ich fahre mit meinem Onkel Frank ins Disneyland."

„Das denkst du!" erwiderte Eugenia.

Albert mußte ihr glauben. Sie hatte in solchen Dingen immer recht. So hatte er das ganze Jahr über statt Disneyland das Abmagerungs-Heim vor Augen.

Manchmal erpreßte sie dicke Kinder, wenn diese etwas hatten, was sie gern haben wollte. Wie zum Beispiel Wandas Sammelarmband.

Wanda Locher wog ungefähr eine Tonne – selbst ihre Augen waren fett – und ihr Hobby war dieses Sammelarmband. Es hatte zweiundzwanzig Anhänger, an jedem einzelnen war irgend etwas Besonderes: Die kleinen Rädchen drehten sich, die winzigen Notenschlüsselchen machten „kling", und die kleine Truhe ging auf und zu.

Wanda war nicht nur ein fettes Kind, sondern sie war auch ein reiches Kind, und ehe man sich einmal umdrehte, hatte sie schon wieder einen neuen Anhänger.

„Schau mal, mein neuer Anhänger!" sagte sie dann.

„Er hat 6 Dollar 95 gekostet, ohne Mehrwertsteuer. Es ist ein Vogel, und wenn man an diesem Knöpfchen zieht, flattert er mit den Flügeln. Er kostet 6 Dollar 95."

Es waren wirklich tolle Anhänger, aber jeden von uns machte es krank, davon zu hören, und es war beinahe eine Erleichterung, als Eugenia ihr das Armband abluchste.

„Ich weiß, wieviel du wiegst, Wanda", sagte Eugenia zu ihr. „Ich hab' es hier auf den Zettel geschrieben. Willst du's sehen?"

Es muß eine schreckliche Zahl gewesen sein, denn selbst Wanda erbleichte. So kam Eugenia zu ihrem Sammelarmband, und auf die gleiche Weise bekam sie von Lucilla Golden einen Taschenkalender, auf dessen unechtem Krokodilledereinband „Andenken an Florida" stand.

Meine Freundin Alice Wendlaken war so übertrieben sauber, daß sie seit ihrem vierten Lebensjahr keine schmutzigen Hände mehr hatte. Trotzdem las Alice sich in einem Sommerlager Kopfläuse auf, und irgendwie bekam es Eugenia heraus. Sie schlich sich in der Pause an Alice heran, schrie „Läuse!" und trommelte auf ihren Kopf. Sie schlug so lange auf Alice ein, bis einer der Lehrer sie sah und beide mit zum Direktor nahm.

„Was war denn hier los?" fragte der Direktor. Aber Alice wollte es nicht sagen.

„Ich mußte sie hauen", sagte Eugenia. „Sie hat Läuse. Ich hab' eine in ihren Haaren rumkriechen sehen, und ich wollte sie nicht auf mir haben."

„Du hast keine gesehen", sagte Alice. „Ich habe nämlich keine mehr."

„Was meinst du damit, du hast ‚keine mehr'?" fragte der Direktor. „Hast du etwa welche gehabt?"

Es schüttelte ihn richtig, er wollte keine Schule voll verlauster Kinder haben. Er schickte Alice in den Sanitätsraum, und die Schwester suchte ihren Kopf ab, mit einem feinen Kamm und einem Vergrößerungsglas in der Hand. Schließlich sagte sie, es sei alles in Ordnung.

Aber da war es schon zu spät. Für den Rest des Jahres wurde Alice „Läusekopf" genannt.

Wenn Eugenia kein Geheimnis von jemandem wußte, dann erfand sie eines. Sie zog einen dann in den Mädchenwaschraum oder in den Pausenhof und flüsterte: „Ich weiß, was du gemacht hast!"

Und dann wurde man verrückt, wenn man herauszubekommen versuchte, was man getan haben könnte und was Eugenia wußte.

Es nützte auch nichts, Geheimnisse über die Herdmanns herauszufinden. Jeder wußte bereits von den schrecklichen Sachen, die sie angestellt hatten. Nicht einmal mit ihren Eltern konnte man sie ärgern, und es hatte keinen Zweck, ihnen nachzurufen: „Dein Vater sitzt im Gefängnis", weil sie sich nicht darum kümmerten. Tatsächlich wußten sie auch gar nicht, was oder wo ihr Vater war oder sonst etwas über ihn, denn als Hedwig zwei Jahre alt war, war er auf einen fahrenden Zug gesprungen und verschwunden. Niemand konnte es ihm übelnehmen.

Ab und zu sah man Frau Herdmann, wenn sie mit der Katze an der Kette um den Block spazierenging. Sie arbeitete zwei Schichten in der Schuhfabrik und war nicht viel zu Hause.

Die Freundin meiner Mutter, Fräulein Phillip, war Fürsorgerin und versuchte, Wohlfahrtsunterstützung für die Herdmanns zu beantragen, damit Frau Herdmann nur eine Schicht arbeiten mußte und mehr Zeit für ihre Kinder hatte. Aber Frau Herdmann wollte nicht. Sie arbeite gern, sagte sie.

„Es ist nicht die Arbeit, an der sie hängt", erklärte Fräulein Phillip meiner Mutter. „Und es geht ihr auch nicht ums Geld. Sie geht lieber in die Schuhfabrik, weil sie sonst daheim mit ihrer Horde Kinder fertigwerden muß." Sie seufzte. „Und ich kann es ihr nicht einmal verdenken."

Also paßten die Herdmann-Kinder selber aufein-

ander auf. Ralf paßte auf Eugenia auf, Eugenia auf Leopold, Leopold auf Klaus und so weiter, bis hinunter zur Kleinsten. Bei den Herdmanns war es wie bei den meisten großen Familien: Die Großen lehren die Kleinen alles, was sie können. Der Beweis dafür war, daß Hedwig, die Jüngste, die Schlimmste von allen Herdmanns war.

Wir waren überzeugt, daß sie direkt auf die Hölle zusteuerten, mit dem Umweg über die Staatliche Besserungsanstalt – bis sie sich mit meiner Mutter, der Kirche und unserem Krippenspiel einließen.

2

Meine Mutter hatte nicht erwartet, daß sie etwas mit dem Krippenspiel zu tun haben würde. Sie wollte nur meinen kleinen Bruder Charlie und mich dazu bringen mitzuspielen (was wir nicht wollten) und meinen Vater überreden zuzuschauen (was er nicht wollte). Jedes Jahr sagte er das gleiche: „Ich habe das Krippenspiel schon gesehen."

„Aber dieses Jahr hast du es noch nicht gesehen", sagte dann meine Mutter. „Charlie spielt diesmal einen Hirten."

„Das hat er schon letztes Jahr getan. Ach, geh du doch hin. Ich ziehe meinen Bademantel an, setze mich an den Kamin und spanne mal richtig aus. Es ist sowieso immer das gleiche."

„Dieses Jahr ist etwas anders", sagte Mutter.

„Was?"

„Charlie trägt deinen Bademantel."

Also ging mein Vater mit. Um seinen Bademantel zu sehen, wie er sagte. Tatsächlich ging er jedes Jahr hin, aber immer gab es erst einen Kampf, und Mutter sagte, es sei ihr Beitrag zum Krippenspiel, daß sie Vater dazu brächte hinzugehen.

Aber als dann Frau Armstrong hinfiel und sich das Bein brach, wurde sie in die Sache hineingezogen.

Wir erfuhren sofort von dem Unfall, denn Frau Armstrong wohnte nur anderthalb Häuserblocks von uns entfernt. Wir hörten das Martinshorn und den Krankenwagen und sahen, wie die Polizisten sie auf der Tragbahre aus dem Haus trugen.

„Rufen Sie meinen Mann im Geschäft an!" schrie sie den Polizisten zu. „Machen Sie das Gas unter den Kartoffeln aus! Verständigen Sie den Frauenverein, daß ich nicht zur Versammlung komme!"

Eine Nachbarin rief ihr zu: „Hast du starke Schmerzen, Helene?"

Und Frau Armstrong schrie zurück: „Ja, schreckliche! Laß die Kinder nicht an meine Rosenhecke!"

Selbst wenn Frau Armstrong Schmerzen hatte, konnte sie noch Befehle erteilen. Sie war so gut im Befehlen, daß sie überall ganz selbstverständlich die Führung übernahm. In der Kirche machte sie alles, außer predigen. Vor allem aber leitete sie jedes Jahr das Krippenspiel. Und nun, sechs Wochen vor Weihnachten, lag sie flach auf dem Rücken.

„Ich frage mich, was jetzt aus dem Krippenspiel werden soll", sagte Mutter.

Aber das war nicht das einzige Problem. Frau Armstrong veranstaltete auch den Weihnachtsbazar des Frauenvereins und organisierte das Wohltätigkeitsessen des Frauenvereins. So mußten eine Menge Telefongespräche geführt werden, um zu klären, wer diese Aufgaben übernehmen würde.

Mutter hatte eine ganze Liste mit Namen, und während sie verschiedene Leute wegen des Weihnachtsbazars anrief, versuchte Frau Kater meine Mutter für das Wohltätigkeitsessen einzuspannen. Aber Frau Kater bekam jemand anderen dafür, und meine Mutter fand jemanden, der den Bazar übernahm. Also war noch das Krippenspiel übrig.

Und das blieb an Mutter hängen.

„Das Wohltätigkeitsessen könnte ich mit der linken Hand organisieren", sagte meine Mutter zu uns. „Das einzige, was man dabei tun muß, ist aufzupassen, daß niemand einen Hackbraten mitbringt. Aber das Krippenspiel!"

Man konnte unser Krippenspiel nicht gerade als spannende Unterhaltung bezeichnen.

Der Ablauf war immer gleich (die Herberge, der Stall, die Hirten, der Stern), genauso wie die Kostüme und die Besetzung.

Unterstufenkinder spielen Engel, Mittelstufenkinder spielen die Hirten, große Jungen die Heiligen Drei

Könige, und Edgar Hopper, der Sohn des Pfarrers, spielt den Josef schon so lange, wie ich zurückdenken kann. Und meine Freundin Alice Wendlaken ist die Maria, weil sie so schick, so sauber und so ordentlich ist und vor allen Dingen: weil sie so heilig aussieht.

Alle anderen bilden den Engelchor, nach der Größe aufgestellt. Keiner kann ein Solo singen. In Wirklichkeit kann keiner von uns überhaupt singen. Wir sind wirklich ein untalentierter Haufen, ausgenommen ein Mädchen mit Namen Alberta Potter, die Flöte spielen kann. Letztes Jahr flötete Alberta Potter „Ihr Kinderlein kommet", weil man einmal etwas Neues ausprobieren wollte. Aber niemand war begeistert davon, am wenigsten Frau Potter, weil Alberta sich so verausgabte, daß ihr die Luft ausging und sie mitten in der dritten Strophe ohnmächtig in die Krippe kippte.

Wenn man von solchen Zwischenfällen absieht, ist es halt immer nur die Weihnachtsgeschichte, Jahr für Jahr, bei der man mit Bademänteln, Bettüchern und spitzen Flügeln umherschlurft.

„Na also", sagte mein Vater, als Mutter die Sache übernahm. „Das ist deine große Chance. Warum bläst du nicht einfach das Krippenspiel ab und zeigst statt dessen Filme?"

„Was denn für Filme?" fragte Mutter.

„Ich weiß nicht. Fritz Stemper hat fünf große Film-
rollen über den Yellowstone-Nationalpark."

„Was hat denn der Nationalpark mit Weihnachten
zu tun?" fragte Mutter.

„Ich kenne einen guten Film", rief Charlie dazwischen. „Den haben wir in der Schule gesehen. Er zeigt
eine Herzoperation, zwei Kindern ist es dabei schlecht
geworden."

„Um Gottes willen", sagte Mutter. „Ich glaube, ihr
haltet euch alle für sehr witzig. Das Krippenspiel ist
Tradition, und ich habe nicht die Absicht, alles umzu-
stoßen."

Natürlich dachte niemand auch nur im entferntesten
an die Herdmanns im Zusammenhang mit dem Krippenspiel. Die meisten von uns wurden die ganze
Woche über in der Schule von den Herdmanns her-
umgepufft, gestoßen und gezerrt und freuten sich auf
den Sonntag. Es war der Tag, an dem man vor den
Herdmanns Ruhe hatte.

Einmal im Monat ging die ganze Sonntagsschule in
die Kirche, um in den ersten 15 Minuten des Gottes-
dienstes etwas Besonderes zu bieten, ein Lied, ein
Gleichnis aus der Bibel oder einen Vers. Gewöhnlich
sangen die Kleinen „Jesus liebt mich". Das war das
einzige, was sie konnten.

Aber als mein Bruder Charlie in die Sonntagsschule

ging, ließ sich die Lehrerin etwas Neues einfallen. Jeder sollte auf einen Zettel schreiben oder malen, was er an der Sonntagsschule am meisten mochte. Und als wir alle in der Kirche waren, stellte sie sich vor die Gemeinde und sagte:

„Heute werden uns einige unserer kleinsten Jungen und Mädchen erzählen, was die Sonntagsschule für sie bedeutet. Betty, was hast du auf deinem Zettel stehn?"

Betty Ketterer stand auf und sagte: „Was ich an der Sonntagsschule am meisten mag, ist das schöne Gefühl, das ich habe, wenn ich hingehe."

Ich glaube nicht einmal, daß sie das aufgeschrieben hatte, aber es klang natürlich ungeheuer gut.

Ein Kind sagte, es höre so gern die Biblische Geschichte.

Ein anderes: „Ich höre so gern die Lieder über Jesus."

Acht oder neun Kinder standen auf und lasen vor, was sie mochten, und es war immer etwas Gutes über Gott oder Jesus oder liebe Freunde oder die netten Lehrer.

Schließlich sagte die Lehrerin: „Wir haben gerade noch für einen Zeit. Charlie, was kannst du uns über die Sonntagsschule erzählen?"

Mein kleiner Bruder Charlie stand auf, und er mußte nicht einmal auf seinen Zettel schauen. „Was ich an der Sonntagsschule am meisten mag", sagte er, „ist, daß es hier überhaupt keine Herdmanns gibt."

Die Lehrerin hätte lieber bei ihrem „Jesus liebt mich" bleiben sollen. Denn die Leute vergaßen alle frommen Sachen, die die anderen Kinder gesagt hatten, und behielten nur, was Charlie über die Herdmanns gesagt hatte.

Als wir ihn nach der Kirche abholten, sagte die Lehrerin zu uns: „Ich bin sicher, daß es noch viele andere Dinge gibt, die Charlie an der Sonntagsschule gefallen. Vielleicht erzählt er Ihnen einige davon." Sie lächelte uns allen zu, aber man konnte sehen, daß sie richtig wütend war.

Auf dem Heimweg fragte ich Charlie: „Was sind denn die anderen Dinge, die dir angeblich gefallen?"

Er zuckte mit den Achseln.

„Ich mag ja all den anderen Kram. Aber sie sagte, wir sollten aufschreiben, was wir am meisten mögen. Und was ich am meisten mag, sind keine Herdmanns."

„Kein sehr christlicher Gedanke", sagte mein Vater.

„Es ist vielleicht nicht sehr christlich, aber sehr verständlich", sagte meine Mutter. Während der ganzen zweiten Klasse war Charlie mit blauen und grünen Flecken übersät, weil er neben Leopold Herdmann sitzen mußte.

Aber letzten Endes war es dann sogar Charlies Schuld, daß die Herdmanns in der Kirche aufkreuzten.

Drei Tage hintereinander klaute Leopold Herdmann die Süßigkeiten aus Charlies Frühstückspaket, und schließlich hatte Charlie keine Lust mehr, etwas dagegen zu unternehmen.

„Nimm's dir! Nur zu!" sagte er. „Mir macht das nichts aus. Ich bekomme ja so viel Süßigkeiten, wie ich will, in der Sonntagsschule."

Leopold wollte mehr darüber wissen. „Was denn für Süßigkeiten?"

„Schokoladenkuchen", erzählte Charlie, „und Zukkerstangen und Kekse und Lutscher. Wir bekommen immerzu Süßigkeiten, alles, was wir wollen."

„Du lügst!" sagte Leopold.

Leopold hatte recht. Wir bekamen Ostereier zu Ostern und ein Stück Kuchen beim Kinderfest, das war alles.

„Wir bekommen auch Eis", fuhr Charlie fort. „Und Krapfen und Popcorn."

„Von wem denn?" wollte Leopold wissen.

„Vom Pfarrer", sagte Charlie. Ihm fiel nichts anderes ein.

Das war natürlich das Verkehrteste, was man den Herdmanns erzählen konnte, wenn man wollte, daß sie wegblieben. Und – wie konnte es anders sein – schon am nächsten Sonntag waren sie da. Sie schlurften in die Kirche und hielten gespannt Ausschau nach den Süßigkeiten.

„Wo gibt's den Kuchen?" fragte Ralf den Sonntagsschulpfarrer.

Und Herr Greder sagte: „Mein Sohn, ich weiß nichts von einem Kuchen. Aber draußen in der Küche sammeln sie gerade die Essenspakete ein." Er meinte die Essensspenden, die wir jedes Jahr am Danksagungstag für das Waisenhaus stifteten.

Es war unser Pech, daß die Herdmanns gerade diesen Sonntag erwischten, denn als sie all die Dosen mit Spaghetti, Bohnen, Erdnußbutter und Pampelmusensaft sahen, mußten sie annehmen, daß doch etwas Wahres an dem war, was Charlie über die Süßigkeiten erzählt hatte.

Also blieben sie. Zwar sangen sie keine Lieder mit und beteten auch nicht, aber dafür kamen sie zu etwas Geld. Ich sah jedenfalls, wie Eugenia eine Handvoll Münzen aus dem Kollektenteller nahm, als er an sie weitergereicht wurde.

Am Ende dieses Vormittags kam Herr Greder in alle Klassen und machte eine Mitteilung.

„Wir beginnen bald mit den Proben für unser Weihnachts-Krippenspiel", sagte er. „Nächsten Sonntag nach dem Gottesdienst werden wir uns alle hinten im Gemeindesaal der Kirche versammeln und festlegen, wer die Hauptrollen spielt. Natürlich wollen wir, daß jeder Junge und jedes Mädchen aus der Sonntagsschule an dem Krippenspiel teilnimmt. Eure Eltern wissen schon, daß es nächsten Sonntag etwas später wird."

Herr Greder hielt diese Rede jedes Jahr, deshalb brach nicht gerade ein Beifallssturm los. Außerdem wußte ja sowieso jeder, welche Rolle er spielen würde.

Alice Wendlaken allerdings schien ein bißchen beunruhigt zu sein. Denn sie drehte sich mit einem zuckersüßen Lächeln zu mir herum und sagte: „Hoffentlich darfst du wieder einen Engel spielen. Du bist so gut als Engel."

Was sie damit meinte, war: Hoffentlich willst du nicht die Maria spielen, weil deine Mutter das Krippenspiel leitet. Sie brauchte sich keine Sorgen zu machen. Ich wollte nicht die Maria spielen. Ich wollte zwar auch nicht im Engelchor sein, aber jeder mußte irgend etwas spielen.

Plötzlich stieß mir Eugenia Herdmann den Ellbogen in die Rippen. Sie hatte die spitzesten Ellbogen, die ich jemals erlebt habe.

„Was ist ein Krippenspiel?" fragte sie.

„Ein Theaterstück", sagte ich.

Und zum zweitenmal an diesem Tag war Eugenia offensichtlich interessiert. (Das erste Mal war, als sie den Kollektenteller sah.) Alle Herdmanns sind große Kinogänger, obwohl sie nie Eintritt bezahlen. Einer oder zwei von ihnen fangen eine Rauferei vor der Kinokasse an, während die anderen schnell hinein-schlüpfen. Auf die gleiche Art und Weise kommen sie zu ihrem Popcorn, und dann verteilen sie sich über den ganzen Zuschauerraum, so daß der Kontrolleur nie alle finden kann, bevor der Film zu Ende ist.

„Wovon handelt das Stück?" fragte Eugenia.

„Von Jesus", sagte ich.

„Hier scheint aber auch alles von Jesus zu handeln", murmelte sie.

Deshalb dachte ich, daß sich Eugenia nicht viel aus dem Krippenspiel machen würde.

Aber das war ein Irrtum.

3

Frau Armstrong, die noch von ihrem Krankenhaus-bett aus die Dinge zu lenken versuchte, sagte, daß immer dieselben Kinder die Hauptrollen spielen.

„Aber es ist wichtig, daß jeder eine Chance bekommt", erzählte sie Mutter am Telefon. „Laß dir erklären, wie ich es immer mache."

Mutter seufzte und drehte das Gas unter den Schwei-neschnitzeln aus.

„Na gut, Helene", sagte sie.

Frau Armstrong rief Mutter mindestens alle zwei Tage an, und immer um die Abendbrotzeit.

„Laß dich nicht beim Abendbrot stören", sagte sie dann und redete weiter und weiter, während mein Vater im Flur auf und ab marschierte und leise auf Frau Armstrong schimpfte.

„Also, ich mache das so", sagte Frau Armstrong. „Ich rufe sie alle zusammen und erzähle ihnen von den Proben. Daß sie pünktlich sein müssen und daß sie gut aufpassen sollen. Dann sage ich ihnen, daß die Hauptrollen Maria und Josef und die Heiligen Drei

Könige sind und der Engel des Herrn. Und dann erkläre ich ihnen, daß es keine kleinen Rollen, sondern nur kleine Spieler gibt."

„Verstehen sie denn, was du damit meinst?" fragte Mutter.

„Aber natürlich", sagte Frau Armstrong.

Später fragte mich Mutter, ob ich wüßte, was das mit den kleinen Rollen und den kleinen Spielern bedeutete.

Ich wußte es wirklich nicht. Keiner von uns wußte es. Es war eben etwas, das Frau Armstrong immer sagte.

„Ich glaube, es bedeutet, daß die Kleinsten in der ersten Reihe stehen sollen, weil sie sonst niemand sehen kann."

„So ähnlich habe ich mir das vorgestellt", sagte Mutter. „Das bedeutet es aber ganz und gar nicht. In Wirklichkeit meint sie damit, daß jeder in dem Krippenspiel gleich wichtig ist. Daß der kleinste Engel genauso wichtig ist wie Maria."

„Geh mal zu Alice Wendlaken und erzähl ihr das!" sagte ich.

Mutter meinte, ich solle nicht so frech sein. Aber sie war nicht richtig wütend, weil sie wußte, daß ich recht hatte. Man kann ein Krippenspiel ohne einen einzigen kleinen Engel spielen, aber keines ohne Maria. Frau Armstrong wußte das auch.

„Ich beginne immer mit der Maria", sagte sie zu Mutter am Telefon. „Ich erzähle ihnen, daß wir unsere Maria mit Bedacht auswählen müssen, weil Maria die Mutter von Jesus war."

„Das weiß ich", sagte Mutter, die darauf wartete, vom Telefon loszukommen, um endlich die Schnitzel zu braten.

„Na also. Ich erzähle ihnen, daß unsere Maria ein fröhliches, heiteres Mädchen sein sollte, das selbstlos und freundlich anderen gegenüber ist. Dann erzähle ich ihnen von Josef, der von Gott auserwählt war, der Vater von Jesus zu sein, und daß unser Josef ein Junge sein sollte . . ."

So ging es weiter und weiter. Sie war gerade beim zweiten der Heiligen Drei Könige angelangt, als Mutter sagte: „Helene, ich muß jetzt Schluß machen. Es hat jemand an der Tür geklingelt."

Es hatte tatsächlich jemand an der Tür geklingelt. Es war mein Vater, der draußen stand in Hut und Mantel und sich gegen die Türklingel lehnte.

Als Mutter ihn hereinließ, zog er seinen Hut und machte eine demütige Verbeugung: „Liebe Frau, könnt ihr mir einen Bissen zu essen geben? Ich habe seit drei Tagen nichts Anständiges mehr bekommen."

„Um Gottes willen, komm rein!" sagte Mutter. „Was sollen denn die Nachbarn denken, wenn sie dich da draußen stehen und klingeln sehen. Und warum hast du nicht schon vor zehn Minuten geklingelt?" .

Frau Armstrong rief in dieser Woche noch zweimal bei meiner Mutter an, um ihr zu sagen, daß man die Kostüme umsäumen, aber nicht abschneiden dürfe und daß die Engel keinen Lippenstift verwenden sollten. Am Sonntag hing meiner Mutter die ganze Sache schon zum Hals heraus.

Nach der Kirche gingen wir in den Gemeindesaal, der hinter der Kirche lag. Drei Sonntagsschullehrer sollten für Ruhe sorgen. Es war gar nicht einfach, alle Kinder still zu halten. Die kleinen waren müde, die großen waren hungrig, die Mütter wollten heimgehen, um das Mittagessen zu kochen, und die Väter wollten sich im Fernsehen das Fußballspiel ansehen.

„Keine Angst, es wird nicht lange dauern", fing meine Mutter an. Mein Vater hatte ihr vorher gesagt, sie solle möglichst schnell machen, denn er wollte sich auch das Fußballspiel anschauen. Außerdem wollte er auch gern etwas essen, sagte er. Er hätte die ganze Woche kein anständiges Essen bekommen.

„Zuerst möchte ich euch etwas von den Proben erzählen", sagte Mutter. „Wir werden jeden Mittwoch hier um halb sieben proben. Wir werden nur fünf Proben haben, deswegen müßt ihr bei jeder dabeisein."

„Was ist, wenn einer krank wird?" fragte ein Kleiner aus der vordersten Reihe.

„Du wirst nicht krank werden", versicherte ihm meine Mutter, und das war genau das, was sie heute früh zu Charlie gesagt hatte, als Charlie erklärt hatte, er wolle kein Hirte sein und er würde Bauchweh bekommen, wenn er einen spielen müßte.

„Die Kleinen aus der Vorschule und die Erstkläßler werden unsere Engel sein. Das mögt ihr doch – oder?" fragte Mutter.

Alle sagten ja. Was konnten sie anderes sagen!

„Die älteren Jungen und Mädchen brauchen wir als Hirten, als Gäste in der Herberge und als Engelchor." Mutter zog die Sache wirklich im Blitztempo durch, und ich dachte, wie sich Frau Armstrong über all die Sachen aufregen würde, die sie einfach wegließ.

„Und dann brauchen wir Maria und Josef, die drei Weisen aus dem Morgenland und den Engel des Herrn. Das sind keine schwierigen Rollen, aber sehr wichtige. Deswegen müssen diese Kinder unbedingt zu jeder Probe kommen."

„Und was ist, wenn die krank werden?" Es war derselbe kleine Junge, und man wurde direkt neugierig, was das für ein Kind war, das sich so für Krankheiten interessierte.

„Die werden auch nicht krank werden", sagte Mutter ein wenig unwirsch. „Nun, wir wissen alle, was für ein Mensch Maria war. Sie war ruhig und freundlich und gütig, und das Mädchen, das die Maria spielt, sollte versuchen, ebenso zu sein. Ich weiß, daß viele von euch bei unserem Krippenspiel die Maria spielen möchten, aber natürlich können wir nur eine brauchen. So werde ich erst einmal fragen, wer sich freiwillig dafür meldet, und dann entscheiden wir alle zusammen, welches Mädchen die Rolle spielen soll."

Das war ziemlich leicht zu sagen, solange die einzige Person, die jedes Jahr wieder ihre Hand erhob, Alice Wendlaken war.

Aber Alice saß nur da, kaute an einer Haarsträhne und schaute auf den Boden. Und die einzige, die diesmal ihre Hand hob, war Eugenia Herdmann.

„Hast du noch eine Frage, Eugenia?" fragte Mutter. Ich glaube, das war der einzige Grund, den sie sich vorstellen konnte, weshalb Eugenia sich meldete.

„Nein", sagte Eugenia. „Ich will die Maria sein." Sie schaute über ihre Schulter nach hinten. „Und Ralf möchte der Josef sein."

„Jawoll", sagte Ralf.

Mutter starrte sie nur an. Es war wie in einem Kriminalfilm, wo die nette, kleine, alte, grauhaarige Dame einen doppelläufigen Revolver aus dem Handtäschchen zieht, zum Bankbeamten sagt: „Rück den

Zaster raus, aber dalli!" und man dasitzt und es einfach nicht glauben kann. Mutter konnte das hier nicht glauben.

„Nun", sagte sie nach einer Minute. „Wir wollen erst ganz sicher sein, daß jeder eine Chance bekommt. Wer meldet sich sonst noch freiwillig für den Josef?"

Niemand meldete sich. Das hatte noch nie jemand getan, besonders nicht Edgar Hopper. Aber er konnte sich nicht gegen seine Rolle wehren, weil er der Sohn vom Pfarrer war. Einmal, als er sich auch nicht freiwillig meldete und auch kein anderer, hörte ich später Pfarrer Hopper mit Edgar im Vorraum reden.

„Du wirst den Josef spielen", sagte Pfarrer Hopper. „Und damit basta!"

„Ich will aber nicht den Josef spielen", erwiderte Edgar. „Ich bin schon zu groß, und ich komme mir dumm vor unter all den kleinen Kindern."

„Das verstehe ich schon", sagte Pfarrer Hopper. „Ich kann das sogar mitfühlen. Aber bis sich jemand anderes für den Josef meldet, wird es an dir hängenbleiben."

„Niemand wird das jemals tun", sagte Edgar. „Ich habe Gerald Becker fünfzig Cents angeboten, wenn er den Josef spielt, und er hat abgelehnt. Ich werde für den Rest meines Lebens den Josef spielen."

„Nur Mut", sagte Pfarrer Hopper. „Vielleicht meldet sich doch mal jemand."

Ich möchte wetten, er dachte dabei nicht daran, daß dieser Jemand Ralf Herdmann sein würde.

„Na gut", sagte Mutter. „Ralf wird unser Josef sein. Nun, meldet sich niemand mehr als Maria?" Mutter schaute sich um und versuchte den Blick von irgend jemandem einzufangen. „Anette? Roberta? – Alice, möchtest du dich dieses Jahr nicht freiwillig melden?"

„Nein", sagte Alice so leise, daß es kaum zu hören war. „Ich möchte nicht."

Auch für die Weisen aus dem Morgenland meldete sich niemand außer Leopold, Klaus und Olli Herdmann.

Da stand also meine Mutter und hatte ein Krippenspiel am Hals mit lauter Herdmanns in den Hauptrollen.

Eine Herdmann und eine Hauptrolle waren noch übriggeblieben, und es bedurfte keiner besonderen Klugheit, sich auszurechnen, daß Hedwig den Verkündigungsengel spielen würde.

„Was muß ich tun?" wollte Hedwig wissen.

„Der Verkündigungsengel war der Engel, der den Hirten die frohe Botschaft brachte", erklärte Mutter.

Mit einem Mal begannen alle Hirten auf ihren Sitzen

herumzurutschen, weil sie sich vorstellten, daß jede frohe Botschaft, die Hedwig ihnen brachte, mit einem blauen Auge verbunden sein würde.

Charlies Freund Robby Michel hob die Hand und sagte: „Ich kann kein Hirte sein. Wir fahren nach Philadelphia."

„Warum hast du das nicht schon vorher gesagt?" fragte Mutter.

„Ich hab's vergessen."

Ein anderer sagte: „Meine Mutter will nicht, daß ich einen Hirten spiele."

„Warum nicht?" fragte Mutter.

„Das weiß ich nicht. Sie sagte nur: Spiel keinen Hirten!"

Ein einziger war ehrlich. „Hedwig Herdmann schlägt zu fest zu", sagte er.

„Hedwig wird überhaupt niemanden schlagen", sagte Mutter. „Was für eine Idee! Der Engel besucht die Hirten auf dem Feld, verkündet ihnen, daß Jesus geboren ist . . ."

„. . . und schlägt sie", sagte der Junge.

Er hatte natürlich recht. Man konnte sich schon richtig vorstellen, wie Hedwig den Hirten rechte und linke Haken verpaßte. Aber Mutter sagte, das sei völlig lächerlich.

„Ich möchte kein Wort mehr darüber hören", sagte

sie. „Kein Hirte wird wegfahren – oder krank werden", fügte sie noch hinzu, bevor der Junge in der ersten Bank fragen konnte.

Als dann alle heimgingen, nahm Mutter Alice Wendlaken beim Arm und sagte: „Alice, warum in aller Welt hast du dich nicht als Maria gemeldet?"

„Ich weiß nicht", sagte Alice wütend.

Aber ich wußte es. Ich hatte gehört, wie Eugenia Herdmann Alice erzählte, was mit ihr geschehen würde, wenn sie es wagte, sich freiwillig zu melden: die ganz gewöhnlichen, alltäglichen Herdmann-Tricks wie auf den Kopf hämmern, Hausaufgaben verschmieren und Würmer in die Manteltaschen stecken.

„Das ist mir egal", sagte Alice zu ihr. „Es ist egal, was ihr tut. Ich bin immer die Maria im Krippenspiel!"

„Und nächstes Frühjahr", fuhr Eugenia fort und kniff die Augen zusammen, „wenn die Weidenkätzchen herauskommen, werde ich dir eines so tief in dein Ohr stecken, daß es keiner mehr rausholen kann. Dann wird es dort Wurzeln bekommen und wachsen und wachsen, und du mußt den Rest deines Lebens mit einem Weidenbusch im Ohr herumrennen."

Man mußte sie bewundern. Das war das Schlimmste, was sich einer von ihnen jemals ausgedacht hatte. Natürlich können sich die meisten Leute nicht vorstellen, daß so etwas geschehen kann, aber es kann. Bei Olli Herdmann war es einmal passiert. Er bekam in der Schule fürchterliche Ohrenschmerzen, und als ihm die Krankenschwester mit ihrer kleinen Lampe ins Ohr leuchtete, schrie sie so laut, daß man es draußen auf dem Pausenhof hören konnte: „Dem wächst ja was aus dem Ohr!"

Sie mußten Olli ins Krankenhaus bringen und ihm dort ein Weidenkätzchen aus dem Ohr operieren.

Das war der Grund, warum Alice sich nicht für die Maria meldete.

„Du weißt, daß sie das nicht alles tun würde, was sie dir angedroht hat", sagte ich zu Alice, als wir heimgingen.

„Doch!" sagte Alice. „Die Herdmanns bringen alles fertig. Aber deine Mutter hätte es nicht zulassen sollen. Jemand sollte Eugenia aus dem Krippenspiel hinausschmeißen und die anderen auch. Sie werden etwas Schreckliches anstellen und alles verderben."

Ich dachte, daß sie wahrscheinlich recht hatte, und andere dachten das gleiche. Zwei oder drei Tage lang war das einzige Gesprächsthema, daß die Herdmanns Maria und Josef spielten und die anderen Rollen auch.

Frau Kater rief Mutter an, um ihr zu sagen, daß sie sich den Kopf zerbrochen habe über die Herdmanns.

Wenn sie schon unbedingt am Krippenspiel teilnehmen wollten, könnten sie doch vor der Tür die Programmzettel verteilen.

„Es gibt keine Programmzettel für das Krippenspiel", sagte Mutter.

„Vielleicht könnten wir welche drucken lassen, damit wir welche für sie haben."

Alices Mutter sagte im Frauenverein, daß es Gotteslästerung sei, Eugenia Herdmann die Maria spielen zu lassen. Eine Frau, von der wir noch nie etwas gehört hatten, rief Mutter an und sagte, ihr Name sei Haselbeck, sie wohne im Westend, und ob es wahr sei, daß Eugenia Herdmann in einem kirchlichen Spiel Maria, die Mutter des Herrn, darstellen sollte.

„Ja", sagte Mutter. „Eugenia spielt die Maria in unserem Krippenspiel."

„Und der Rest von ihnen spielt auch mit?" fragte die Dame.

„Ja, Ralf ist der Josef, und die anderen spielen die Heiligen Drei Könige und den Engel des Herrn."

„Sie müssen verrückt sein", sagte Frau Haselbeck eiskalt zu meiner Mutter. „Ich wohne direkt neben dieser Bande mit ihrem Geschrei und Gekreisch und ihrer wahnsinnigen Katze und der Garagentür, die den ganzen Tag auf- und zudonnert. Ich sage Ihnen, Sie gehen lauten Zeiten entgegen!"

Einige Leute meinten, es sei nicht richtig, daß eine ganze Familie, die nicht einmal in unsere Kirche ging, hereingeschneit komme und das Krippenspiel an sich reiße. Mein Vater sagte, daß man die Silberbestecke des Frauenvereins besser wegschließen solle. Meine Mutter sagte nur, sie läge lieber mit Frau Armstrong im Krankenhaus.

Aber dann brachten die Mitglieder des Blumenzüchter-Vereins Frau Armstrong einen Geranienstock und erzählten ihr alles. Sie fiel fast aus dem Bett, mitsamt ihrem Streckverband. „Ich fühle mich persönlich verantwortlich", sagte sie. „Was auch immer passiert, ich nehme die Schuld auf mich. Wenn ich dagewesen wäre und meine Pflicht getan hätte, wäre so etwas nie vorgekommen."

Und das machte meine Mutter derart wütend, daß sie rot sah.

„Wenn sie dagewesen wäre, wäre das nicht vorgekommen!" sagte Mutter. „So eine Person! Sie muß sich wundern, daß die Sonne jeden Morgen aufgeht, ohne daß sie den Sonnenaufgang überwacht. Ich will dir mal was sagen ..."

„Mir brauchst du es nicht zu sagen", sagte mein Vater. „Ich bin auf deiner Seite."

„Ich meine nur, daß Helene Armstrong nicht die einzige Frau auf der Welt ist, die ein Krippenspiel leiten kann. Bis heute hatte ich mir vorgenommen, das beste aus der Sache zu machen, das man unter diesen Umständen herausholen kann. Aber jetzt ..." (dabei stach sie eine Gabel in den Schmorbraten) „... aber jetzt werde ich das beste Krippenspiel machen, das je ein Mensch gesehen hat. Und ich werde es mit den Herdmanns machen. Schließlich haben die sich freiwillig gemeldet und sonst keiner. Damit Schluß!"

Und dabei blieb es auch. Erstens wollte niemand anders das Krippenspiel übernehmen, mit oder ohne Herdmanns, und zweitens hatte Pfarrer Hopper die Beschwerden so satt, daß er allen, die damit zu ihm kamen, gehörig die Meinung sagte.

Natürlich sagte er nicht: „Rutschen Sie mir den Buckel herunter, Frau Wendlaken" oder so etwas ähnliches. Er erinnerte nur jeden daran, daß Jesus, als er sagte: „Lasset die Kindlein zu mir kommen", alle Kinder gemeint hatte, einschließlich der Herdmanns.

Das brachte alle zum Schweigen, sogar Alices Mutter. Und so begannen am nächsten Mittwoch die Proben.

4

Normalerweise machte die erste Probe nicht mehr und nicht weniger Spaß als eine dreistündige Fahrt im Schulbus und war mit ebensoviel Lärm und Gedränge verbunden. Diese Probe lief anders. Alle waren ruhig und setzten sich gleich hin, weil sie Angst hatten, es könnte ihnen sonst vielleicht entgehen, was die Herdmanns Schreckliches anstellen würden.

Sie kamen zehn Minuten zu spät und schlenderten in den Raum wie eine Bande Geächteter, die vorhat, einen Saloon leerzuschießen. Als Leopold an Charlie vorbeikam, drehte er ihm das Ohr um, und eine Erstkläßlerin schrie auf, als Hedwig an ihr vorbeiging. Aber Mutter hatte gesagt, sie werde alles durchgehen lassen, solange kein Blut floß. Und da weder die Erstkläßlerin noch Charlie bluteten, geschah nichts.

Mutter sagte: „Hier kommt Familie Herdmann. Wir freuen uns, euch alle hier zu sehen." (Das war sicher die dickste Lüge, die je in einer Kirche laut ausgesprochen wurde.)

Eugenia lächelte – das Herdmänner-Lächeln, wie wir

es nannten, dreckig und gemein –, und dann saßen sie da, fast Kriminelle in unseren Augen, und die sollten nun das Edelste und Schönste darstellen, das es gab. Kein Wunder, daß alle aufgeregt waren.

Mutter fing an, die Kinder in Hirten und Engel und Herbergsgäste einzuteilen, und schon gab es die ersten Schwierigkeiten.

„Wer waren denn die Hirten?" wollte Leopold Herdmann wissen. „Wo kamen die her?"

Olli Herdmann wußte nicht einmal, was Hirten sind.

„Was ist eigentlich eine Herberge?" fragte Klaus.

„So was Ähnliches wie ein Hotel", erklärte ihm jemand. „Wo Leute übernachten können."

„Was für Leute?" fragte Klaus. „Jesus?"

„Nicht zu fassen!" murmelte Alice Wendlaken. „Jesus war noch gar nicht geboren. Maria und Josef gingen dorthin."

„Warum?" fragte Ralf.

„Wie ging's los?" schrie Eugenia meiner Mutter zu. „Fangen Sie doch am Anfang an!"

Das jagte mir einen Schrecken ein, denn der Anfang war das Buch Mose, wo es heißt: „Am Anfang schuf Gott …", und wenn wir mit dem Buch Mose beginnen würden, kämen wir nie durch.

Die Sache war eben die, daß die Herdmanns nicht das

geringste von der Weihnachtsgeschichte wußten. Sie wußten gerade noch, daß Weihnachten der Geburtstag Jesu war, aber alles andere war neu für sie: die Hirten, die Weisen aus dem Morgenland, der Stern, der Stall und die überfüllte Herberge.

Es war schwer zu glauben. Jedenfalls war es das für mich. Alice Wendlaken fiel es nicht schwer. „Wie sollen die etwas von der Weihnachtsgeschichte wissen!" sagte sie. „Sie wissen nicht mal, was eine Bibel ist. Schau dir an, was Hedwig vorige Woche mit dieser Bibel gemacht hat!"

Während Eugenia das Geld aus dem Kollektenteller geklaut hatte, hatten Hedwig und Olli die Propheten in der illustrierten Kinderbibel mit Bärten und Schwänzen verziert.

„Sie waren noch nie in ihrem Leben in der Kirche, bis dein kleiner Bruder ihnen weisgemacht hat, daß wir dort Süßigkeiten bekommen", sagte Alice. „Und alles, was man in der Schule über Weihnachten lernt, ist, wie man Christbaumsterne aus Strohhalmen macht. Woher sollen die also die Weihnachtsgeschichte kennen?"

Sie hatte recht. Natürlich könnten sie etwas darüber gelesen haben. Aber sie lasen nie etwas anderes als Comics. Sicher hätten sie auch im Fernsehen etwas darüber erfahren können. Aber Ralf hatte ihren

Fernseher für 65 Cents auf einem Flohmarkt gekauft, und man konnte nur etwas sehen, wenn einer die Antenne festhielt. Und selbst dann nicht sehr viel.

Die einzige andere Quelle, durch die sie etwas von der Weihnachtsgeschichte hätten hören können, waren ihre Eltern. Aber ich vermute, daß Herr Herdmann nicht dazu gekommen war, bevor er sich auf den Zug schwang. Und es war ziemlich klar, daß Frau Herdmann schon längst nicht mehr den Versuch machte, ihnen irgend etwas zu erzählen.

Jedenfalls hatten sie keine Ahnung. Und Mutter sagte, es sei wohl das beste, zuerst einmal die Weihnachtsgeschichte aus der Bibel vorzulesen. Das waren langweilige Aussichten, denn die meisten von uns kannten die ganze Geschichte vorwärts und rückwärts. Sonst wurde uns immer nur gesagt, wer wir waren und wo wir zu stehen hatten.

„... da machte sich auch Josef auf, daß er sich schätzen ließe, mit Maria, seinem vertrauten Weibe, die gesegneten Leibes war ..."

„Schwanger", rief Ralf Herdmann.

Das verursachte ziemliche Unruhe. Die größeren Kinder begannen zu kichern, und die kleineren wollten wissen, was denn so komisch war. Mutter mußte mit einem Zeigestock auf den Boden klopfen. „Genug, Ralf!" sagte sie und las weiter vor.

„Ich finde es nicht schön zu sagen, daß Maria schwanger war", flüsterte Alice mir zu.

„Aber sie war's doch", sagte ich, obwohl ich irgendwie mit ihr einer Meinung war. Es klang zu gewöhnlich. Jede Frau kann schwanger sein. „Gesegneten Leibes" klang einfach besser für Maria.

„Ich soll nicht darüber reden, wenn Leute schwanger sind." Alice faltete die Hände in ihrem Schoß und preßte die Lippen zusammen. „Das sollte ich lieber meiner Mutter erzählen."

„Was erzählen?"

„Daß deine Mutter solche Ausdrücke in der Kirche zuläßt. Meine Mutter möchte vielleicht nicht, daß ich hier bin."

Ich war ziemlich sicher, daß Alice es erzählen würde. Sie wollte die Maria spielen und war wütend auf Mutter.

Ich wußte auch, daß sie übertreiben und daß Frau Wendlaken noch wütender werden würde, als sie schon war. Frau Wendlaken war es schon peinlich, daß Katzen Junge hatten und daß Vögel Eier legten, und niemals ließ sie Alice mit jemandem spielen, der zwei Kaninchen hatte.

Aber ich konnte nicht viel dagegen tun, außer Alice kneifen. Und das tat ich. Sie kreischte auf, und Mutter trennte uns. Ich mußte mich neben Eugenia Herdmann setzen, und Alice bekam einen Platz zwischen den kleinen Engeln.

Ich war nicht gerade erpicht darauf, neben Eugenia zu sitzen. Schließlich verbrachte ich mein ganzes Leben damit, ihr aus dem Weg zu gehn. Aber sie nahm keine Notiz von mir. Fast keine jedenfalls.

„Ruhig!" sagte sie nur. „Ich will zuhören."

Ich konnte es kaum fassen. Unter anderem waren die Herdmanns dafür berüchtigt, niemals stillzusitzen und niemals irgend jemandem zuzuhören, weder Lehrern noch Eltern (den eigenen oder anderen), noch dem Schulrat oder der Polizei – und jetzt saßen sie da, hingen an den Lippen meiner Mutter und sogen jedes Wort in sich ein.

„Was ist das?" fragten sie immer, wenn sie einen Ausdruck nicht verstanden. Als Mutter vorlas, daß kein Platz in der Herberge war, fiel Eugenia die Kinnlade herunter, und sie sprang auf.

„Verdammt!" sagte sie. „Nicht mal für Jesus?"

Ich sah, wie Alice den Mund spitzte, und wußte, daß das noch etwas war, was Frau Wendlaken zu hören bekommen würde: Fluchen in der Kirche.

„Na ja, also . . ." erklärte Mutter. „Niemand wußte, daß das Baby Jesus sein würde."

„Sie haben gesagt, Maria wußte es", sagte Ralf. „Warum hat sie es denen nicht gesagt?"

„Ich hätt's ihnen gesagt", rief Eugenia dazwischen. „Mann, denen hätt' ich's vielleicht gesagt! Was war denn mit Josef los, warum hat der's nicht gesagt? Daß sie schwanger war und das alles."

„Wie hieß das, wo sie das Baby reingelegt haben?" fragte Leopold. „Diese Krippe . . . ist das so 'ne Art Bett? Warum hatten die denn ein Bett im Stall?"

„Das ist es ja gerade", sagte Mutter. „Sie hatten eben kein Bett im Stall. Also mußten Maria und Josef das nehmen, was sie dort vorfanden. Was würdest du denn tun, wenn du ein kleines Baby hättest und kein Bett, um es hineinzulegen?"

„Wir haben Hedwig in eine Schreibtischschublade gelegt", erklärte Eugenia.

„Siehst du", sagte Mutter und zuckte ein bißchen zusammen. „Ihr habt kein Bett für Hedwig gehabt und habt deswegen auch etwas anderes nehmen müssen."

„Och, wir hatten schon eins", sagte Ralf. „Aber Olli war noch drin und wollte nicht raus. Er mochte Hedwig nicht." Er puffte Olli in die Seite. „Erinnerst du dich, daß du Hedwig nicht leiden konntest?"

Das ist ein netter Zug an Olli, daß er Hedwig von vornherein nicht mochte, dachte ich.

„Wie dem auch sei", sagte Mutter, „Maria und Josef nahmen die Krippe. Eine Krippe ist ein hölzerner Futtertrog für Tiere."

„Was waren denn die Bindeln?" wollte Klaus wissen.

„Die was?" fragte Mutter.

„Sie haben es doch vorgelesen: Sie wickelte ihn in Bindeln."

„Windeln", seufzte Mutter. „Früher hat man die Babys fest in große Tücher eingewickelt, so daß sie nicht herumstrampeln konnten. Die Babys fühlten sich dabei behaglich und geborgen."

Ich meinte, daß es die Babys eher verrückt gemacht hat. Bis dahin hatte ich auch nicht gewußt, was Windeln sind. Deshalb war ich gar nicht besonders überrascht, daß Eugenia sich darüber aufregte.

„Sie meinen, sie banden es zusammen und steckten es in eine Futterkiste?" sagte sie. „Wo blieb denn da die Jugendfürsorge?"

Die Jugendfürsorge kümmerte sich immer um die Herdmanns. Ich wette, wenn die von der Jugendfürsorge jemals Hedwig zusammengebunden in einer Schreibtischschublade gefunden hätten, so hätten sie bestimmt etwas dagegen unternommen!

„Und siehe, des Herrn Engel trat zu ihnen", fuhr Mutter fort, „und die Klarheit des Herrn leuchtete um sie, und . . ."

„Batmann!" schrie Hedwig, warf die Arme auseinander und ohrfeigte dabei das Kind neben ihr.

„Wie bitte?" fragte Mutter. Mutter las nie Comic-Hefte.

„Aus dem Dunkel der Nacht erschien Batmann, der Rächer der Entrechteten . . ."

„Ich weiß nicht, wovon du sprichst, Hedwig", sagte Mutter. „Das ist der Engel des Herrn, der zu den Hirten auf dem Feld kommt."

„Aus dem Nichts?" fragte Hedwig. „Aus dem geheimnisvollen Dunkel der Nacht, ja?"

„Na ja." Mutter sah etwas unglücklich aus. „Gewissermaßen."

Hedwig setzte sich wieder hin und sah sehr zufrieden aus. So, als ob das endlich ein Teil der Weihnachtsgeschichte wäre, den sie verstand.

„Da Jesus geboren war zu Bethlehem im jüdischen Lande", las Mutter weiter, „kamen die Weisen vom Morgenlande gen Jerusalem und sprachen . . ."

„Das bist du, Leopold", sagte Ralf. „Und Klaus und Olli. Paßt gefälligst auf!"

„Was bedeutet Weisen?" wollte Olli wissen. „Waren sie so etwas wie Lehrer?"

„Nein, du Quatschkopf", sagte Klaus. „Das ist so was Ähnliches wie der Präsident der Vereinigten Staaten."

Mutter sah ihn überrascht und beinahe beglückt an, so wie sie geschaut hatte, als Charlie endlich das Einmaleins mit fünf auswendig konnte. „Du bist schon ganz nahe dran, Klaus", sagte sie. „Tatsächlich waren es Könige."

„Jetzt aber weiter", meuterte Eugenia. „Wahrscheinlich werden die Könige dem Wirt gründlich die Meinung sagen und das Kind aus dem Trog holen."

„Sie fanden das Kindlein mit Maria, seiner Mutter, und fielen nieder und beteten es an und taten ihre Schätze auf und schenkten ihm Gold, Weihrauch und Myrrhe."

„Was ist das für ein Zeug?" wollte Leopold wissen.

„Kostbare Öle", sagte Mutter, „und wohlriechende Harze."

„Öl!" schrie Eugenia. „Was für ein schäbiger König bringt denn Öl als Geschenk mit! Da kriegt man ja bei der Feuerwehr bessere Geschenke."

Manchmal bekamen die Herdmanns Weihnachtsgeschenke auf dem Feuerwehrfest. Der Nikolaus mußte die Päckchen vorher immer genau befühlen, um sicher zu gehen, daß nicht Wurfpfeile oder Pfeil und Bogen oder so etwas Ähnliches darin war. Gewöhnlich bekam Eugenia Stickzeug und Puzzle-Spiele, die sie überhaupt nicht mochte. Aber ich schätze, sie fand das immer noch besser als Öl.

Dann kamen wir zu König Herodes, und die Herdmanns hatten auch von ihm noch nie etwas gehört.

Deshalb mußte Mutter erklären, daß es Herodes war, der die drei Weisen ausgeschickt hatte, um das Baby Jesus zu suchen.

„Hat der die mickrigen Geschenke mitgeschickt?" fragte Olli. Mutter sagte, es sei noch viel schlimmer. Er habe den Plan gehabt, Jesus umzubringen.

„Verdammt", sagte Eugenia. „Gerade geboren, und schon wollen sie ihn umlegen."

Die Herdmanns wollten alles über Herodes wissen. Wie er aussah, wie reich er war und ob er irgendwelche Kriege geführt hatte.

„Er muß der Oberkönig gewesen sein", sagte Klaus, „wenn er den anderen dreien befehlen konnte."

„Wenn ich ein König wäre, würde ich mich von keinem anderen König rumkommandieren lassen", sagte Leopold.

„Du könntest nichts dagegen machen, wenn er der Oberkönig wäre."

„Dann würde ich woanders König werden."

Sie interessierten sich wirklich stark für Herodes, und ich nahm an, daß sie ihn mochten. Er war so gemein, daß er direkt ihr Vorfahre hätte sein können: Herodes Herdmann. Aber ich täuschte mich.

„Wer spielt denn den Herodes in dem Stück?" fragte Leopold.

„Der Herodes kommt in unserem Krippenspiel nicht

vor", sagte Mutter. Das machte alle Herdmanns wütend. Sie wollten, daß jemand Herodes wäre, damit
sie ihn verprügeln könnten.

Ich konnte die Herdmanns nicht verstehen. Man
hätte denken können, die Weihnachtsgeschichte käme
direkt aus den Polizeiakten des FBI, so gingen sie
mit. Sie wünschten dem Herodes ein blutiges Ende,
sorgten sich um Maria, die ihr Baby in einen Futtertrog legen mußte, und nannten die Heiligen Drei Könige eine Bande schmutziger Spione.

Und als sie die erste Probe verließen, diskutierten sie
darüber, ob Josef die Herberge hätte anzünden oder
ob er nur den Gastwirt über die Grenze hätte jagen
sollen.

5

Als wir heimkamen, wollte mein Vater alles ganz genau wissen.

„Na ja", sagte Mutter. „Du mußt dir vorstellen, du hättest noch nie die Weihnachtsgeschichte gehört und wüßtest überhaupt nichts davon, und dann würde sie dir jemand erzählen. Was würdest du dir dabei denken?"

Mein Vater schaute sie eine oder zwei Minuten lang an und sagte dann: „Ich würde es wahrscheinlich ziemlich unmöglich finden, daß sie für eine schwangere Frau keinen anderen Platz hatten als einen Stall."

Ich war erstaunt. Ich hätte von meinem Vater nicht gedacht, daß er die gleichen Gedanken haben könnte wie die Herdmanns. Andrerseits konnte ich mir nicht vorstellen, daß die Herdmanns je auf der richtigen Seite stehen sollten. Es hätte besser zu ihnen gepaßt, wenn sie für Herodes gewesen wären.

„Genau", sagte Mutter. „Es war wirklich unmöglich. Ich habe nie richtig darüber nachgedacht. Man hört immer nur vom schönen, warmen Stall mit Ochs und Esel und vom duftenden Heu – aber das ändert nichts an der Tatsache, daß es eben ein Stall war, in den sie Maria gesteckt haben. Also, laß dir erzählen . . ." Sie erzählte Vater alles von der Probe, und als sie fertig war, sagte sie: „Jedenfalls ist mir klargeworden, daß diese Kinder doch einen gewissen Instinkt für das Gute haben."

Mein Vater konnte da nicht ganz zustimmen. „Nach dem, was du erzählt hast, war es ihr Hauptinstinkt, Herodes bei lebendigem Leib zu verbrennen", sagte er.

„Nein, ihr Hauptinstinkt war, Maria und das Baby aus dem Stall zu holen. Und es war Herodes, den sie loswerden wollten, und nicht Maria oder Josef. Sie haben den Richtigen als Schurken erkannt, das bedeutet schon was."

„Kann sein." Mein Vater schaute von seiner Zeitung auf. „Was ist eigentlich mit Herodes geschehen?"

Keiner von uns wußte es. Ich hatte nie viel über Herodes nachgedacht. Es war nur ein Name aus der Bibel, König Herodes.

Aber die Herdmanns gingen der Geschichte nach.

Gleich am nächsten Tag packte mich Eugenia in der Pause am Arm. „Wie kriegt man ein Buch aus der Bücherei?" fragte sie.

„Man muß eine Lesekarte haben."

„Wie kriegt man eine Karte?"

„Man muß den Namen draufschreiben."

Sie schaute mich eine Minute lang mit zusammenge-
kniffenen Augen an. „Muß man seinen eigenen Namen draufschreiben?"

Ich dachte, Eugenia wollte vielleicht eines von den
unanständigen Büchern aus dem Untergeschoß haben –
dort bewahren sie solche Bücher auf –, aber ich wußte,
daß das keiner zulassen würde. Quer über die Treppe
zum Untergeschoß ist nämlich eine schwere Kette an-
gebracht, und Fräulein Graebner, die Bibliothekarin,
hört das Rasseln in der ganzen Leihbücherei, egal wo
sie gerade ist. Man hat keine Chance, da hinunter-
zukommen.

„Natürlich mußt du deinen Namen draufschreiben",
sagte ich. „Sie müssen doch wissen, wer die Bücher
hat."

Ich sah allerdings nicht ein, welchen Unterschied es
machen würde, ob sie die Karte mit ihrem Namen
oder mit Königin Elisabeth unterschrieb. Fräulein
Graebner würde Eugenia Herdmann sowieso keine
Bücher aus der Leihbücherei geben.

Aber anscheinend ließen sie sich nicht daran hindern,
die Leihbücherei zu benutzen. Denn es war dort, wo
sie etwas über Herodes herausfanden.

Sie gingen alle sechs an jenem Nachmittag hin und sagten zu Fräulein Graebner, daß sie Lesekarten haben wollten. Wenn sonst jemand zu Fräulein Graebner sagte, daß er eine Lesekarte haben wollte, erschien gewöhnlich ein breites, glückliches Lächeln auf ihrem Gesicht, und sie sagte: „Schön! Wir wollen, daß alle unsere Jungen und Mädchen eine Lesekarte haben."

Zu den Herdmanns sagte sie das nicht. Sie fragte sie nur, warum sie Lesekarten wollten.

„Wir wollen was über Jesus lesen", sagte Eugenia.

„Nicht über Jesus", sagte Ralf. „Über diesen König, der hinter Jesus her war ... Herodes!"

Später erzählte Fräulein Graebner meiner Mutter, daß sie seit achtunddreißig Jahren Bibliothekarin sei und daß sie keine Minute missen möchte, weil jeder Tag etwas Neues und anderes bringe. „Aber jetzt könnte ich mich beruhigt zur Ruhe setzen", sagte sie. „Als Eugenia Herdmann hereinkam und sagte, sie wolle etwas über Jesus lesen, wußte ich, daß ich keine größere Überraschung mehr erleben kann."

Bei der nächsten Probe begann Mutter wieder damit, daß sie die Kinder in Engel, Hirten und Herbergsgäste einteilte. Aber sie kam nicht weit. Die Herdmanns wollten das ganze Stück umschreiben und als Schlußhöhepunkt Herodes aufhängen lassen. Sie konnten sich nicht damit abfinden, daß Herodes in seinem Bett an Altersschwäche sterben sollte.

„Er war nicht nur hinter Jesus her", erzählte uns Ralf. „Er brachte alle möglichen Leute um."

„Sogar seine eigene Frau", sagte Leopold.

„Und ihm ist überhaupt nichts passiert", beschwerte sich Eugenia.

„Na ja, er starb doch, oder nicht?" fragte jemand. „Vielleicht hatte er einen schrecklichen Tod. Woran ist er denn gestorben?"

Ralf zuckte die Achseln. „Darüber steht nichts drin. An Grippe, schätze ich."

Sie waren so wütend, daß ich schon dachte, sie würden das Krippenspiel aufgeben. Aber sie taten es nicht – weder jetzt noch später. Und alle, die gehofft hatten, daß die Herdmanns sich langweilen und aufhören würden, wurden bitter enttäuscht. Sie kamen pünktlich zu jeder Probe und taten sogar, was ihnen gesagt wurde.

Aber sie waren immer noch die Herdmanns, und es gab zumindest eine Person, die das keine Minute vergaß.

Eines Tages sah ich, wie Alice etwas auf einen kleinen Block schrieb und dabei versuchte, es mit der anderen Hand zuzuhalten.

„Geht dich nichts an!" sagte sie.

Es ging mich nichts an. Aber es ging auch Alice nichts

an. Was sie schrieb, war nämlich: „Hedwig Herdmann trinkt Abendmahlswein."

„Das ist gar kein Wein", sagte ich. „Es ist Himbeersaft."

„Es ist mir ganz egal, was es ist, jedenfalls trinkt sie es. Ich habe dreimal gesehen, daß ihr Mund ganz rot war. Außerdem stehlen sie Kreide von der Sonntagsschultafel. Und wenn man die Geburtstagssparkasse im Kindergartenzimmer schüttelt, hört man überhaupt nichts. Sie haben alles Geld herausgeklaut."

Ich war erstaunt über Alice. Ich wäre nie auf die Idee gekommen, die Geburtstagssparkasse zu schütteln.

„Und jedesmal, wenn man in das Damenklo kommt, ist die Luft ganz blau, und Eugenia Herdmann sitzt im Mariakostüm da und raucht Zigarren."

Alice schrieb alle diese Sachen auf und auch, wie oft das vorkam. Ich wußte nicht, warum. Es sei denn, es machte ihr Vergnügen, schwarz auf weiß lesen zu können, wie schrecklich die Herdmanns waren.

Da keiner von den Herdmanns jemals zur Kirche oder zur Sonntagsschule gegangen war und keiner die Bibel oder etwas Ähnliches gelesen hatte, hatten sie natürlich keine Ahnung, was man von ihnen erwartete. Eugenia, zum Beispiel, wußte nicht, daß die Maria immer in einer bestimmten Weise dargestellt wurde: ruhig und mild und nicht ganz von dieser Welt.

In der Art, wie Eugenia sie spielte, hatte Maria eher Ähnlichkeit mit Signora Santoro von der Pizza-Stube. Signora Santoro ist eine große, dicke Frau mit einem kleinen, mageren Mann und neun Kindern. Sie schreit laut und temperamentvoll, umarmt ihre Kinder und schleppt sie mit sich herum. So ungefähr war Eugenias Maria – laut und herrisch.

„Geh vom Baby weg!" schrie sie Ralf an, der den Josef spielte. Und sie ließ die Heiligen Drei Könige nicht zu nahe herankommen.

„Die Heiligen Drei Könige wollen dem Christkind huldigen", erklärte Mutter zum zehntenmal. „Sie wollen ihm nichts tun, Gott behüte!"

Aber die Könige wußten auch nicht, was sie eigentlich tun sollten, und keiner nahm es Eugenia übel, daß sie sie wegschubste. Bei diesen drei Königen hatte man das Gefühl, daß sie auf schnellstem Weg zu Herodes zurückkehren würden, um das Baby zu verraten, aus lauter Bosheit.

„Was wäre eigentlich, wenn wir nicht einen anderen Weg nach Hause gingen?" fragte Leopold, der den Melchior spielte. „Wenn wir zurückgingen zum König und ihm alles erzählen würden von dem Kind, wo es ist und so?"

„Der würde Jesus umbringen", sagte Ralf. „Der alte Herodes würde ihn umbringen."

„Das würde er nicht!" sagte Eugenia mit feurigen Augen, und weil die Herdmanns untereinander genauso schnell ins Prügeln kamen wie mit anderen, mußte Mutter eingreifen und sie alle zur Ruhe bringen.

Ich dachte später darüber nach und kam zu der Überzeugung, daß es dann für den König Herodes leicht gewesen wäre, seinen Plan auszuführen und Jesus, einen Zimmermannssohn, umzubringen. Der Satz von Leopold „Was wäre, wenn wir zurückgehen und das Kind verraten würden?" brachte einen wirklich zum Nachdenken: Es hätte niemals einen Jesus gegeben!

Ich weiß nicht, ob noch irgend jemand diesen Gedanken hatte. Alice Wendlaken jedenfalls nicht.

„Ich finde es nicht sehr schön, darüber zu reden, daß das Baby Jesus umgebracht wird", sagte sie sauer und kniff ihre Lippen zusammen. Das war eine Sache mehr über die Herdmanns, die sie auf ihre Liste schreiben und ihrer Mutter erzählen konnte, außer der Tatsache, daß sie fluchten, klauten, rauchten und all so was. Ich glaube, sie hatte die Hoffnung noch nicht aufgegeben, daß sie eine ganz furchtbar sündige Tat begehen würden. Dann könnte ihre Mutter sagen: „Das geht zu weit!" und verlangen, daß die Herdmanns rausgeworfen wurden.

„Du mußt deiner Mutter sagen, daß ich jederzeit einspringen kann und die Maria spiele, wenn es nötig ist", sagte sie mir, als wir in der hintersten Reihe im Engelchor standen. „Wenn ich die Maria spiele, können wir das Parker-Baby als Jesus haben. Von Eugenia Herdmann dagegen würde Frau Parker ihr Baby nicht anfassen lassen." Das Parker-Baby hätte einen Klasse-Jesus abgegeben, und das wußte Alice.

Wie die Sache jetzt aussah, hatten wir überhaupt kein Baby. Das beunruhigte meine Mutter wirklich. Denn man kann schlecht das beste Krippenspiel machen, das je ein Mensch gesehen hat, wenn die Hauptfigur fehlt.

Am Anfang hatten wir eine ganze Menge Babys angeboten bekommen: von Eugen Sloper, der noch so klein war, daß er noch nicht einmal Haare auf dem Kopf hatte, bis hin zu Junior Candill, der schon fast vier war. (Seine Mutter sagte, er könne sich sehr klein machen.) Aber als die Mütter von den Herdmanns erfuhren, zogen sie ihre Babys wieder zurück.

Mutter hatte alle angerufen, die sie kannte, um doch noch ein Baby aufzutreiben. Am meisten Aussichten hatte sie noch bei Frau Waltros, die immer Pflegekinder bei sich aufnahm.

„Ich habe gerade einen ganz reizenden kleinen Jungen reinbekommen", sagte sie Mutter. „Er ist drei Monate alt und so lieb, daß man kaum merkt, daß er da ist. Er wäre wundervoll. Allerdings ist er Chinese. Macht das was?"

„Nein", sagte Mutter. „Es macht überhaupt nichts."

Aber das Baby von Frau Waltros wurde zwei Wochen vor Weihnachten adoptiert, und Frau Waltros sagte, sie wolle nicht gern fragen, ob sie es gleich wieder ausleihen könne.

Damit war's also auch nichts.

„Hören Sie zu", sagte Eugenia. „Ich besorg' uns ein Baby."

„Wie willst du das machen?" fragte Mutter.

„Ich klaue einfach eins", sagte Eugenia. „Da stehen immer zwei oder drei Babys im Kinderwagen vor dem Supermarkt."

„Eugenia, red keinen Unsinn!" sagte Mutter. „Du kannst nicht einfach ein fremdes Baby mitgehen lassen, das weißt du genau." Ich bezweifle, ob Eugenia das wirklich wußte. Sie ließ noch ganz andere Sachen mitgehen.

„Wir werden uns überhaupt nicht mehr um ein Baby bemühen", sagte Mutter. „Wir nehmen eine Babypuppe, das ist sowieso besser."

Eugenia schaute ganz zufrieden drein. „Eine Puppe kann wenigstens nicht beißen", erklärte sie. Was wieder mal bewies, daß die Herdmanns von der Wiege an gemeingefährlich waren.

6

Unsere letzte Probe war zufällig am Abend vor dem Wohltätigkeitsessen, und als wir hinkamen, war die ganze Küche voller Frauen in Schürzen, die Teller und Bestecke abzählten und Apfelkuchen für den Nachtisch backten.

„Es tut mir leid", sagte eine der Frauen zu Mutter. „Aber es ist zur Zeit so viel zu tun, daß das Komitee beschlossen hat, heute abend herzukommen, um die Tische zu decken und alles zu schmücken. Ich hoffe nur, daß wir Sie nicht stören."

„Aber nein", sagte Mutter. „Wir werden gar nicht in der Küche sein. Sie werden überhaupt nicht merken, daß wir hier sind."

Mutter irrte sich. Jeder in diesem Teil der Stadt wußte, daß wir hier waren, noch ehe der Abend vorbei war.

„Also, wir haben heute eine Kostümprobe", sagte Mutter zu uns allen, und sofort begannen drei oder vier kleine Engel zu jammern, sie hätten ihre Flügel vergessen. Der halbe Engelchor hatte seine Kostüme vergessen, und Robby Michel behauptete, er hätte überhaupt kein Kostüm.

„Zieh doch den Bademantel von deinem Vater an", sagte Charlie. „Das mache ich auch immer so."

„Er hat keinen."

„Womit läuft er denn zu Hause herum?"

„In der Unterwäsche", sagte Robby.

Ich schaute zu Alice Wendlaken hinüber, um zu sehen, ob sie das wieder auf ihre Liste schreiben würde. Aber Alice stand ganz für sich in einer Ecke und brachte ihre Haare in Ordnung. Ihre Haare waren gewaschen und frisch eingedreht, ihr Kleid war gestärkt und gebügelt. Sie hatte sogar Vaseline auf ihre Augenlider geschmiert, damit sie im Kerzenlicht glänzten und jeder sagen würde: „Wer ist dieses reizende Mädchen im Engelchor? Warum spielt die nicht die Maria?" Ich glaube, Alice traute sich nicht, sich zu bewegen, aus Angst, sie könnte etwas an sich in Unordnung bringen.

„Kümmert euch jetzt nicht um eure Flügel", sagte Mutter. „Das Wichtigste an einer Kostümprobe ist, daß ohne Unterbrechung durchgespielt wird, und das werden wir jetzt tun, genauso als würden wir vor allen Leuten spielen. Ich werde mich ganz hinten in die Kirche setzen und Zuschauer spielen."

Aber es klappte nicht. Die kleinen Engel traten von

der falschen Seite auf und mußten wieder abgehen, und ein großer Teil der Hirtenschar kam überhaupt nicht, aus Angst vor Hedwig. Eugenia konnte die Jesuspuppe nicht finden und wickelte eine große Blumenvase in ein Tuch und ließ sie dann Ralf auf die Füße fallen. Und die eine Hälfte des Engelchors sang „Ich steh an deiner Krippe hier", während die andere „Vom Himmel hoch" anstimmte.

So mußten wir immer wieder von vorn anfangen.

„Das Kind hier habe ich bekommen", bellte Eugenia die drei Weisen an. „Faßt es ja nicht an! Ich hab' es Jesus genannt."

„Nein, nein, nein!" Mutter kam durch das Kirchenschiff angesaust. „Eugenia, du weißt doch, daß du nichts sagen sollst. Keiner sagt etwas in unserem Krippenspiel außer dem Verkündigungsengel und dem Chor, der die Choräle singt. Maria und Josef und die Heiligen Drei Könige stellen ein schönes Bild, das wir betrachten, während wir an Weihnachten denken und an das, was es bedeutet."

Ich nehme an, Mutter mußte so etwas sagen, obwohl jeder wußte, daß es gelogen war. Die Herdmanns sahen nicht aus wie irgend etwas aus der Bibel, eher wie etwas aus der Unterwelt. Eugenia trug sogar riesengroße goldene Ohrringe und weigerte sich, sie abzunehmen.

„Hör mal, Eugenia", sagte Mutter. „Du weißt doch, daß Maria keine Ohrringe trug."

„Ich muß sie aber tragen", sagte Eugenia.

„Warum denn?"

„Ich hab' gerade Löcher in die Ohren gekriegt. Und wenn ich nichts drin habe, wachsen sie wieder zu."

„Also, die werden doch nicht in anderthalb Stunden zuwachsen", sagte Mutter.

„Nein. Aber es ist besser, wenn ich sie drin lasse." Eugenia zog an ihren Ohrringen, daß es einen schauderte. Es war, wie wenn man im Völkerkundelexikon Bilder von Eingeborenen anschaut, deren Ohren bis auf die Schultern hängen.

„Hat denn der Doktor gesagt, daß du etwas darin lassen mußt?" wollte Mutter wissen.

„Was für ein Doktor?"

„Wer hat denn deine Ohren durchgestochen?"

„Hedwig", sagte Eugenia.

Das ließ einen wirklich erschauern. Der Gedanke, wie Hedwig wohl Ohren durchsticht. Ich stellte mir vor, daß sie wahrscheinlich einen Eispickel dazu benutzt hatte, und während der nächsten sechs Monate beobachtete ich Eugenia immer genau, um zu sehen, wie ihre Ohren schwarz würden und abfielen.

„Na gut", sagte Mutter. „Aber wir werden kleinere und passendere Ohrringe finden, die du beim Krip-

76

penspiel tragen kannst. Jetzt wollen wir noch mal anfangen und das Ganze durchlaufen lassen, und ..."

„Ich denke, ich sollte den Leuten sagen, wie er heißt", sagte Eugenia.

„Nein. Außerdem war es nicht Maria, die dem Kind den Namen gab."

„Hab' ich doch gesagt!" Ralf schlug Eugenia auf den Rücken. „Ich hab' ihm den Namen gegeben."

„Nein, Josef hat ihm auch nicht den Namen gegeben", sagte Mutter. „Gott sandte einen Engel, der Maria sagte, wie der Name lauten sollte."

Eugenia rümpfte die Nase. „Ich hätte ihn Willi genannt."

Alice Wendlaken holte tief Luft, und ich konnte hören, wie sie auf ihren Block kritzelte, daß Eugenia das Baby Willi statt Jesus genannt hätte.

„Was für ein Engel war das?" fragte Ralf. „War das Hedwig?"

„Nein", sagte Mutter. „Hedwig ist der Engel, der den Hirten die Botschaft verkündet."

„Jawoll", sagte Hedwig und schrie den Hirten zu: „Euch ist heute ein Kind geboren!"

„Mir!" schrie Eugenia zurück. „Mir, nicht euch! Ich hab' das Kind gekriegt!"

„Nein, nein, nein!" Mutter setzte sich auf die vorderste Bank. „Das bedeutet doch, daß Jesus allen gehört. Uns allen ist ein Kind geboren. Also", seufzte sie, „fangen wir noch einmal an, und . . ."

„Warum durfte Maria nicht ihrem eigenen Baby einen Namen geben?" wollte Eugenia wissen. „Was hat denn der Engel gemacht? Ist der einfach gekommen und hat gesagt: ,Nenne ihn Jesus'?"

„Ja", sagte Mutter, weil sie schnell fertig werden wollte.

Aber Alice Wendlaken mußte ihren vorlauten Mund aufmachen. „Ich weiß, was der Engel gesagt hat", flötete sie. „Er sagte: ,Sein Name wird sein Wunderbar, Rat, Kraft, Held, Ewigvater, Friedefürst'."

Ich hätte sie erschlagen können.

„Mein Gott", sagte Eugenia. „Der wäre nie über die erste Klasse hinausgekommen, wenn er das alles hätte schreiben müssen!"

Es gab einen großen Krach hinten in der Kirche, so als hätte jemand die Kollektenteller fallen lassen. Aber es waren nicht die Kollektenteller. Frau Hopper, die Pfarrersfrau, hatte ein ganzes Tablett mit Silberbestecken fallen lassen.

„Entschuldigung", sagte sie. „Ich kam gerade vorbei und dachte, ich könnte mal einen Blick . . ."

„Möchten Sie sich nicht hinsetzen und bei der Probe zusehen?" fragte Mutter.

„Nnnein." Frau Hopper konnte ihre Augen nicht

von Eugenia abwenden. „Es ist besser, wenn ich mal nach dem Apfelkuchen schaue."

„Du hättest das nicht zu sagen brauchen", sagte ich zu Alice. „Das mit dem Ewigvater, Friedefürst und so."

„Warum denn nicht?" fragte Alice und legte sich eine Haarlocke zurecht. „Ich dachte, Eugenia will das sicher wissen."

Inzwischen waren alle erhitzt und müde, und die meisten kleinen Engel mußten aufs Klo. Deshalb sagte Mutter, wir wollten fünf Minuten Pause machen. „Und dann fangen wir noch einmal von vorn an", sagte sie und sah dabei ein bißchen mutlos aus. „Dann spielen wir das Ganze ohne jede Unterbrechung durch, ja?"

Nun, wir kamen nie ganz durch ohne Unterbrechung. Die Fünf-Minuten-Pause war ein großer Fehler, weil sie sich auf 15 Minuten ausdehnte und Eugenia die ganze Zeit in einer Nische des Damenklos Zigarren rauchte. Dann kam Frau Kater in das Damenklo, öffnete die Tür, roch etwas, sah Rauch und rannte sofort ins Kirchenbüro und rief die Feuerwehr an.

Wir sangen gerade „Laßt hören eurer Stimmen viel", und das, was wir dabei hörten, war die Feuerwehr, die mit Blaulicht und Martinshorn auf dem Rasen vor dem Gemeindesaal aufzog. Die Feuerwehrleute stürmten herein, warfen uns alle hinaus, schleiften

einen langen Schlauch durch die Eingangstür und suchten nach einem Feuer, das sie löschen könnten.

Die Straße war voll mit kleinen weinenden Engeln, Hirten, die auf dem Feuerwehrauto herumkletterten, Feuerwehrleuten, all den Frauen vom Wohltätigkeitsverein und neugierigen Nachbarn. Dazu kam noch Pfarrer Hopper im Schlafanzug und Morgenmantel vom Pfarrhaus herübergerannt.

Keiner wußte, was geschehen war, nicht einmal die Herdmanns. Aber wahrscheinlich waren sie überzeugt, daß sie daran schuld waren, was immer es auch sein mochte. Deshalb verschwanden sie.

„Warum in aller Welt haben Sie die Feuerwehr alarmiert?" fragte Mutter Frau Kater, als sie schließlich die ganze Geschichte erfuhr.

„Weil das Damenklo voller Rauch war."

„Das kann doch nicht wahr sein", sagte Mutter. „Sie waren einfach zu aufgeregt. Haben Sie nicht gemerkt, daß es nur Zigarrenrauch war?"

Frau Kater starrte sie an. „Nein, das habe ich nicht. Wer erwartet schon Zigarrenrauch im Damenklo im Gemeindehaus." Sie drehte sich auf dem Absatz um und marschierte zurück zur Küche.

Aber inzwischen war die Küche stärker verraucht als das Damenklo, denn während alle auf der Straße herumirrten, war der ganze Apfelkuchen verbrannt.

Natürlich waren alle Damen vom Wohltätigkeitsverein wütend darüber. Frau Kater war auch wütend, und Alice sagte, wenn ihre Mutter das hörte, würde sie sich bestimmt gleichzeitig freuen und ärgern. Die meisten Mütter von den kleinen Engeln wurden wütend, weil sie nicht herausbekommen konnten, was eigentlich geschehen war. Und irgend jemand erzählte, Frau Hopper sei wütend, weil Pfarrer Hopper im Schlafanzug auf der Straße herumlief.

Es zeigte sich, daß es die eine, große, sündige Tat sein sollte, auf die Alice so lange gehofft hatte.

Frau Wendlaken las Alices Liste, hängte sich noch am gleichen Abend ans Telefon und rief jeden an, der ihr einfiel. Das waren alle Frauen vom Frauenverein und der Frauenhilfe, die meisten Mitglieder vom Blumenzüchter-Verein, alle Sonntagsschullehrer und Pfarrer Hopper.

Und Pfarrer Hopper suchte meine Mutter auf.

„Ich werde nicht recht schlau aus dem Ganzen", sagte er. „Einige sagen, die Herdmanns hätten das Damenklo in Brand gesteckt, andere sagen, sie hätten die Küche angezündet. Eine Dame sagte mir, Eugenia hätte eine Blumenvase nach Ralf geworfen. Und Frau Wendlaken behauptet, die Herdmanns würden nichts anderes tun, als über Sex und Unterwäsche reden."

„Das war Robby Michel, der über Unterwäsche

sprach", sagte Mutter. „Und sie haben überhaupt nichts angezündet. Es gab nur viel Rauch in der Küche, wo der Frauenverein seinen Apfelkuchen verbrennen ließ."

Pfarrer Hopper schaute etwas unglücklich drein. „Die ganze Gemeinde ist in Aufruhr. Meinen Sie nicht, wir sollten das Krippenspiel absagen?"

„Ganz bestimmt nicht!" sagte Mutter. Inzwischen war auch sie wütend. „Lassen Sie sich's gesagt sein: Es wird das beste Krippenspiel, das wir jemals hatten!"

Von allen Lügen, die sie bis dahin schon aufgetischt hatte, war das die größte. Aber man mußte sie wirklich bewundern. Sie kam mir vor wie David, als er, nur mit einem Stock bewaffnet, dem Goliath gegenübertrat.

„Kann schon sein", sagte Pfarrer Hopper. „Ich fürchte nur, daß keiner kommt, um zuzuschauen."

Aber er hatte sich geirrt.

Es kamen wirklich alle – um zu sehen, was die Herdmanns anstellen würden.

Am Abend des Krippenspiels bekamen wir nichts zu
essen, weil Mutter vergessen hatte, Abendbrot zu machen. Mein Vater sagte, das sei ganz normal. Zwischen
den Telefonanrufen von Frau Armstrong und den
Krippenspielproben erwarte er sowieso kein Abendbrot mehr.

„Wenn alles vorbei ist", sagte er, „gehen wir irgendwohin und essen Würstchen." Aber Mutter meinte,
wenn alles vorbei wäre, würde sie irgendwohin gehen
und sich verkriechen.

„Wir sind nicht ein einziges Mal ganz durchgekom-
men", sagte sie. „Ich weiß überhaupt nicht, was passieren wird. Vielleicht wird es das erste Krippenspiel
in der Geschichte, bei dem Josef und die Heiligen Drei
Könige einen Boxkampf anfangen und Maria mit
dem Kind wegläuft."

Wahrscheinlich hatte sie recht, dachte ich, und ich
überlegte, was wir im Engelchor tun sollten, wenn es
so weit käme. Wir würden uns ganz schön blöd vor-
kommen, einfach dazustehen und vom heiligen Kind-

lein zu singen, wenn Maria mit ihm davongerannt wäre.

Aber zunächst lief alles wie immer.

Wie immer herrschte ein großes Durcheinander, die Flügelspitzen der kleinen Engel stachen anderen kleinen Engeln in die Augen, und mißgelaunte Hirten stolperten über ihre Bademäntel. Der Scheinwerfer schwang hin und her und auf und ab, daß einem dabei ganz übel wurde, und der Pianist stimmte wie gewöhnlich „Ich steh' an deiner Krippe hier" so hoch an, daß wir es kaum hören konnten, geschweige denn mitsingen. Mein Vater sagte, „Ich steh' an deiner Krippe hier" klinge anfangs wie ein Chor von Mickeymäusen.

Aber alles beruhigte sich, und pünktlich um halb acht begann das Krippenspiel.

Während wir sangen, zündeten die Ministranten überall in der Kirche die Kerzen an, und der Scheinwerfer wurde zum Weihnachtsstern. Man mußte den Text des Liedes wirklich auswendig wissen, weil man nichts mehr sehen konnte, nicht einmal die vaselinglänzenden Augenlider von Alice Wendlaken.

Danach sangen wir zwei Verse von „Zu Bethlehem im Stalle", und dann sollten wir das Lied noch ein bißchen weitersummen, während Maria und Josef durch die Seitentür hereinkamen. Nur, sie kamen nicht.

Also summten wir und summten und summten, was sehr langweilig und schwierig ist, und nach kurzer Zeit klang es nicht mehr wie ein Lied, sondern eher wie ein alter Kühlschrank.

„Ich wußte ja, daß so was passieren würde", flüsterte mir Alice Wendlaken zu. „Sie kommen überhaupt nicht. Wir werden weder Maria noch Josef haben. Was sollen wir denn jetzt tun?"

Ich schätze, wir hätten weitergesummt, bis wir schwarz geworden wären, aber es kam nicht so weit. Ralf und Eugenia traten auf, sie waren nur erst nicht durch die Tür gekommen, weil sie sich gegenseitig aus dem Weg schubsten. Eine Minute lang standen sie einfach da, als ob sie nicht sicher seien, daß sie am richtigen Ort waren. Das lag vielleicht an den Kerzen und den vielen Menschen in der Kirche. Sie sahen aus wie die Leute, die man manchmal in der Tagesschau sieht: Flüchtlinge, die irgendwo an einem fremden, kalten Ort wartend herumstehen, umgeben von Pappkartons und Säcken.

Plötzlich wurde mir klar, daß es der echten Heiligen Familie genauso ergangen sein muß, einquartiert in einem Stall, von Leuten, denen es egal war, was mit ihnen geschah. Sie konnten gar nicht besonders gepflegt und sauber ausgesehen haben. Sicher hatten sie eher so ausgesehen wie diese Maria und dieser Josef.

(Eugenias Schleier hing schief wie gewöhnlich, und Ralfs Haare standen nach allen Seiten ab.) Eugenia hatte die Babypuppe bei sich, aber sie wiegte sie nicht in den Armen, wie man es gewohnt war. Sie hatte sie über die Schulter gelegt, und bevor sie sie in die Krippe legte, klopfte sie ihr zweimal auf den Rücken.

Ich hörte Alice tief Luft holen. Sie puffte mich und flüsterte: „Ich finde es nicht sehr schön, den kleinen Jesus so zu klopfen, als ob er Bauchweh hätte." Sie knuffte mich noch einmal. „Kannst du dir vorstellen, daß er Bauchweh hatte?"

Ich sagte: „Warum denn nicht." Und ich konnte es mir wirklich vorstellen. Er konnte Bauchweh haben oder unruhig sein oder hungrig, genau wie jedes andere Baby auch. Das war es ja gerade: daß Jesus nicht auf einer Wolke heruntergekommen war wie eine Märchenfigur, sondern daß er richtig geboren wurde und als Mensch lebte.

Mittlerweile mußten wir singen „Kommet ihr Hirten". Wir sangen sehr laut, weil es mehr Hirten gab als irgend etwas anderes und sie so viel Lärm machten mit ihren Hirtenstäben, mit denen sie herumfuhrwerkten wie mit Hockeyschlägern.

Als nächstes kam Hedwig hinter dem Engelchor hervor. Sie schubste die anderen aus dem Weg oder trat

88

ihnen auf die Füße. Da Hedwig die einzige war, die in dem Krippenspiel etwas zu sagen hatte, nutzte sie das auch aus. „He! Euch ist ein Kind geboren!" schrie sie, und es klang wirklich wie die beste Botschaft der Welt. Alle Hirten zitterten und fürchteten sich – vor Hedwig natürlich, aber jedenfalls wirkte es gut.

Dann kamen drei Lieder über Engel. Es dauerte sehr lange, bis die Engel auftraten, weil sie von den Erstkläßlern gespielt wurden, die aufgeregt waren, weinten, vergessen hatten, wo sie hingehen sollten, mit ihren Flügeln in der Tür hängenblieben und all solche Sachen.

Danach hatten wir ein bißchen Ruhe, während die Jungen sangen „Wir sind die Drei Könige . . ." und die Zuschauer sich umdrehten, um den Auftritt der Heiligen Drei Könige durch den Mittelgang nicht zu verpassen.

„Was haben die denn da?" flüsterte Alice.

Ich wußte es nicht. Aber was es auch war, es war jedenfalls schwer. Leopold ließ es fast fallen. Dafür hatte er das Gefäß mit Weihrauch nicht dabei, und Klaus und Olli hatten gar nichts in der Hand, obwohl sie Gold und Myrrhe mitbringen sollten.

„Ich wußte ja, daß so was passieren würde", sagte Alice wieder. „Ich wette, es ist was ganz Schlimmes."

„Was denn zum Beispiel?"

„Zum Beispiel ein Brandopfer. Du kennst doch die Herdmanns."

Gut, sie zündeten manchmal Sachen an. Aber das hier war nichts zum Anzünden; es war ein Schinken. Ich wußte sofort, wo er herkam. Mein Vater war im Kirchenwohltätigkeitsverein, und der verschenkte zu Weihnachten Essenskörbe. Und dieser Schinken hier stammte aus dem Herdmannschen Korb, es war sogar noch das Band daran mit der Aufschrift „Frohe Weihnachten".

„Ich wette, den haben sie gestohlen", sagte Alice.

„Haben sie nicht! Der ist aus ihrem Geschenkkorb, und wenn sie ihren eigenen Schinken herschenken wollen, ist das ihre Sache." Und selbst wenn die Herdmanns sich aus Schinken nichts machen sollten (das war Alices nächster Gedanke), stand doch fest, daß vorher noch nie jemand etwas von ihnen bekommen hatte, es sei denn Beulen und blaue Flecken. Das mußte einen schon beeindrucken.

Leopold ließ den Schinken vor die Krippe fallen. Es war komisch, einen Schinken dort zu sehen, wo sonst unsere Badesalz-Luxusflaschen standen, die immer als Myrrhe und Weihrauch verwandt wurden, und dann setzten sie sich auf die einzigen Plätze, die noch frei waren.

Während wir sangen „Gold und Weihrauch bringen

wir", sollten sich die Heiligen Drei Könige miteinander unterhalten und dann jeder zu einer anderen Tür hinausgehen, damit klar würde, daß jeder einen anderen Weg nach Hause nahm. Aber die Herdmanns hatten das entweder vergessen oder sie wollten nicht, jedenfalls unterhielten sie sich nicht und gingen auch nicht. Sie saßen einfach da, und niemand konnte etwas dagegen unternehmen.

„Sie verderben alles", flüsterte Alice. Aber sie taten es ganz und gar nicht. Es war wirklich viel sinnvoller, daß sich die Heiligen Drei Könige hinsetzten und ausruhten. Das sagte ich ihr.

„Sie haben einen weiten Weg hinter sich. Man kann nicht von ihnen erwarten, daß sie ankommen, den Schinken abliefern und sofort wieder verschwinden."

Ich fand, daß die Herdmanns nichts verdarben, sondern im Gegenteil das Krippenspiel um vieles verbessert hatten, indem sie einfach das taten, was ihnen logisch erschien. Zum Beispiel, daß sie das Baby auf den Rücken klopften und einen Schinken für ein besseres Geschenk hielten als eine ganze Menge parfümierter Öle.

Gewöhnlich hatte ich, bis wir zu „Stille Nacht, heilige Nacht" kamen (das war immer das letzte Lied), so genug von der ganzen Sache, daß ich das Ende kaum abwarten konnte. Aber diesmal war es anders. Ich wünschte fast, das Krippenspiel ginge weiter, nur um zu sehen, was die Herdmanns noch alles anders machen würden.

Vielleicht würden die Heiligen Drei Könige Maria von der Geschichte mit Herodes erzählen, und sie würde ihnen raten, daß sie zurückgehen und ihm das Blaue vom Himmel herunterlügen sollten. Oder Josef würde mit ihnen zurückgehen und ein für allemal Schluß mit Herodes machen. Oder Josef und Maria würden den Heiligen Drei Königen das Christkind mitgeben, weil sie dachten, daß niemand auf die Idee käme, es bei ihnen zu suchen.

Ich war so damit beschäftigt, mir immer neue Möglichkeiten auszudenken, wie man das Baby Jesus retten konnte, daß ich den Anfang von „Stille Nacht, heilige Nacht" verpaßte. Aber es war weiter nicht schlimm, weil alle mitsangen, auch die Zuschauer. Wir sangen alle Strophen, und als wir zur Stelle kamen „Gottes Sohn, oh, wie lacht . . .", schaute ich zufällig zu Eugenia hinüber. Fast hätte ich mein Gesangbuch auf einen kleinen Engel fallen lassen.

Jeder hatte die ganze Zeit darauf gewartet, daß die Herdmanns etwas absolut Unerwartetes tun würden. Und nun war es geschehen: Eugenia Herdmann weinte.

Im Kerzenlicht glänzte ihr ganzes Gesicht vor Tränen, und sie machte nicht einmal den Versuch, sie wegzuwischen. Sie saß nur da – die schlimme, schreckliche Eugenia – und weinte und weinte und weinte.

Es war wirklich das beste Krippenspiel, das jemals bei uns aufgeführt wurde. Das sagte hinterher jeder, aber niemand schien zu wissen, warum es so war. Nach dem Spiel standen die Leute auf dem Vorplatz der Kirche und unterhielten sich darüber, was dieses Jahr anders gewesen sei. Jeder sagte, es sei etwas Besonderes dabei gewesen, aber keiner konnte es beschreiben.

Frau Wendlaken sagte: „Na ja, Maria, die Gottesmutter, hatte ein blaues Auge. Das war das Besondere dabei. – Aber so etwas war zu erwarten", fügte sie noch hinzu.

Sie meinte, daß es die natürlichste Sache der Welt wäre, daß eine Herdmann ein blaues Auge hat. Aber in Wirklichkeit hatte niemand Eugenia geschlagen, und sie hatte sich auch mit niemandem geprügelt. Ihr Auge war auch nicht direkt blau, nur ganz dick angeschwollen. Sie war in einer Art Benommenheit gegen den Schrank mit den Gesangbüchern gelaufen.

Für mich war das merkwürdigste, daß ich jahrelang über das Wunder von Weihnachten und das Geheimnis von Jesu Geburt nachgedacht und es nie wirklich verstanden hatte. Aber jetzt, durch die Herdmanns, schien mir das alles gar nicht mehr so geheimnisvoll.

Als mich Eugenia gefragt hatte, wovon das Krippenspiel handelte, hatte ich ihr gesagt, von Jesus. Aber das war nur ein Teil davon. Es handelte von einem neugeborenen Kind und seiner Mutter und seinem Vater, die in großen Schwierigkeiten steckten – kein Geld, keine Wohnung, kein Doktor, niemand, den sie kannten. Und dann kamen reiche Freunde aus dem Osten (wie mein Onkel aus New Jersey).

Später gab es Zuckerstangen und winzig kleine Bibeln für die Spieler und einen Christrosenstock von der gesamten Sonntagsschule für meine Mutter. Wir hängten die Kostüme weg und klappten die zerlegbare Krippe zusammen. Bevor wir gingen, blies mein Vater noch die letzte der großen weißen Kerzen aus.

„Das war's wohl", sagte er, als wir am Hinterausgang der Kirche standen. „Jetzt ist alles vorbei. Es war ein wirklich gutes Krippenspiel." Dann schaute er meine Mutter an. „Was hast du denn da?"

„Den Schinken", sagte sie. „Sie wollten ihn nicht wieder mitnehmen. Sie wollten auch keine Zuckerstangen haben und keine kleinen Bibeln. Nur Eugenia hat mich nach Heiligenbildchen gefragt, suchte sich dann das mit Maria darauf aus und sagte, es wäre genau richtig – was das auch immer heißen sollte."

Ich meine, es sollte heißen, daß Eugenia, ganz egal, wie sie selber war, die Maria liebte, wie sie auf dem Bild gemalt war: ganz weiß und rosa und sehr rein, als ob sie nie abgewaschen oder Essen gekocht oder irgend etwas getan hätte, außer Jesus am Weihnachtsabend auf den Armen zu wiegen.

Was aber mich betrifft, so wird Maria immer etwas von Eugenia Herdmann haben, ein bißchen unruhig und verwirrt, aber bereit, jeden zu verprügeln, der ihrem Baby zu nahe treten will. Und die Heiligen Drei Könige werden für mich Leopold und seine Brüder sein, mit einem Schinken in der Hand.

Als wir an diesem Abend aus der Kirche kamen, war es kalt und klar. Der Schnee knirschte unter unseren Füßen, und die Sterne leuchteten hell, sehr hell. Und ich dachte an den Verkündigungsengel, an Hedwig mit ihren dünnen Beinen und ihren schmutzigen Stiefeln, die unter ihrem Kostüm vorschauten, an Hedwig, die uns allen zurief:

„He, euch ist ein Kind geboren!"

Paul Maar

Jahrgang '37, der dieses Buch zusammen mit seiner Frau Nele aus dem Amerikanischen übersetzt hat, war früher Kunsterzieher und arbeitet heute als Autor von Kinderbüchern, Funkerzählungen und Kindertheaterstücken. Er ist ein engagierter Erzähler mit viel Sinn für Nonsens und illustriert die meisten seiner Bücher selbst. Am bekanntesten wurden bisher seine Geschichten vom frechen Sams und dem braven Herrn Taschenbier, die in zwei Bänden erschienen sind:

Eine Woche voller Samstage
Deutscher Jugendliteraturpreis, Auswahlliste

Am Samstag kam das Sams zurück

Verlag Friedrich Oetinger · Hamburg